QUETZAL ave trepadora
da América Central,
que morre quando privada
de liberdade; raiz e origem
de Quetzalcoatl (serpente
emplumada com penas
de quetzal), divindade
dos Toltecas, cuja alma,
segundo reza a lenda, teria
subido ao céu sob a forma
de Estrela da Manhã.

FRANCFORT HOTEL

O rabi carimbava o passaporte
e depois o cônsul assinava-o.
Não havia perguntas. Como
uma linha de montagem.
Embora não me recordasse
do rabi, lembrava-me
efetivamente do cônsul: um
homem gordo com barba que,
com uma mão, levava à boca
uma colher de guisado e, com
a outra, assinava. Era verdade,
ele não estava a recusar
ninguém. Também era
verdade que, quando Julia
e eu conseguimos sair com
os nossos vistos, cerca das
onze horas da noite,
o consulado estava ainda
aberto e não mostrava sinais
de fechar.

David Leavitt

Dois Hotéis em Lisboa

Tradução de Ana Matoso

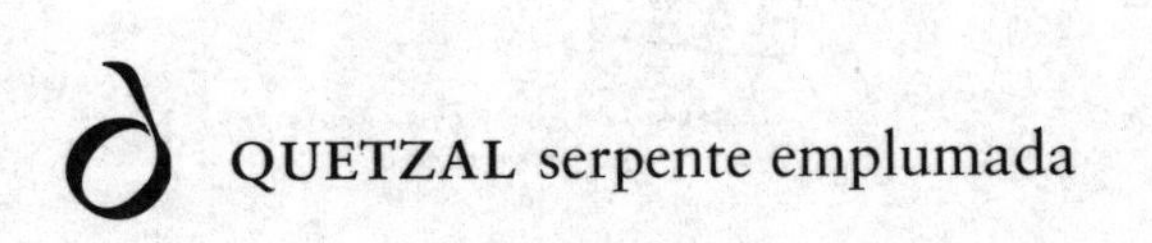

Título: Dois Hotéis em Lisboa
Autor: David Leavitt
Título original: The Two Hotel Francforts
1.ª edição: junho de 2014
Tradução: Ana Matoso
Revisão: Carlos Pinheiro

Design da capa: Rui Rodrigues · Quetzal Editores
Fotografias da capa: © Arquivo Municipal de Lisboa /
/ Núcleo Fotográfico Jamie Garbutt / Getty Images
Pré-impressão: Fotocompográfica
Execução gráfica: Bloco Gráfico, Lda.
Unidade Industrial da Maia

ISBN: 978-989-722-161-3
Depósito legal: 374 414/14

Quetzal Editores
Rua Prof. Jorge da Silva Horta, 1
1500-499 Lisboa PORTUGAL
quetzal@quetzaleditores.pt
Tel. 21 7626000 • Fax 21 7625400

Edição segundo as regras do Novo Acordo
Ortográfico da Língua Portuguesa

Em memória do meu pai, Harold Leavitt.

Em Qualquer Lado

1

Conhecemos os Frelengs em Lisboa, na pastelaria Suíça. Foi em junho de 1940, quando estávamos todos em Lisboa à espera do navio que nos viria salvar e levar para Nova Iorque. Ao falar em todos, estou a referir-me evidentemente a nós, Americanos, na maior parte há muito expatriados, para quem a perspetiva de regressar a casa era amarga. Agora parece de mau gosto falar das nossas dificuldades, que em nada eram comparáveis com as dos verdadeiros refugiados — os europeus, os judeus, os judeus europeus. Porém, na altura encontrávamo-nos demasiado preocupados com o que estávamos a perder para nos importarmos com aqueles que estavam a perder mais do que nós.

Eu e Julia estávamos em Lisboa há quase uma semana. Sou de Indianápolis; ela cresceu no Central Park Oeste, mas sonhara, durante toda a juventude, com um apartamento em Paris. Bem, tornei esse sonho realidade — até certo ponto. Quer isto dizer, tínhamos o apartamento. Tínhamos a mobília. Mas ela nunca estava satisfeita, a minha Julia. Sempre pensei que fosse eu a peça que não encaixava.

De qualquer modo, nesse verão, a invasão da França por Hitler tinha-nos levado a abandonar o nosso poiso em Paris e a voar precipitadamente para Lisboa, para aí aguardar o *SS Manhattan* que o Departamento de Estado tinha requisitado e enviado para recuperar americanos que não conseguiam regressar. Na altura, apenas quatro navios a vapor — o *Excalibur*, o *Excambion*, o *Exeter* e o *Exochorda* — faziam regularmente a travessia até Nova Iorque. Tinham sido assim batizados, dizia-se a brincar, porque levavam *ex*-europeus para o *ex*ílio. Cada um tinha capacidade para alguma coisa como 125 passageiros, em contraste com os 1200 do *Manhattan*, e, como acontecia com os voos dos *Clippers* que partiam todas as semanas do Tejo, não se conseguia nenhum lugar, quer por dinheiro quer por favor — a não ser que se fosse um diplomata ou um VIP.

E, assim, tínhamos uma semana pela frente em Lisboa até que o *Manhattan* chegasse, o que me agradava, uma vez que até agora havíamos passado um mau bocado, desviando-nos da artilharia e dos morteiros através de toda a França; em seguida, fugindo do calvário da fronteira espanhola, discutindo com os funcionários alfandegários que, nas suas táticas de interrogatório, estavam determinados a provarem que eram mais nazis do que os próprios nazis. E Lisboa era uma cidade em paz, o que significava que tudo o que escasseava em França e em Espanha abundava ali: carne, cigarros, gim. O único problema era haver pessoas a mais. Encontrar um quarto de hotel livre era praticamente impossível. As pessoas ficavam acordadas durante a noite no Casino do Estoril, a jogar, e durante o dia dormiam na praia. Porém, havíamos tido sorte — arranjámos um quarto e, para mais, confortável. Sim, não podia queixar-me.

Mas com Julia não era assim. Ela detestava Portugal. Detestava os gritos das peixeiras e o cheiro do bacalhau salgado. Detestava as crianças que a perseguiam com os bilhetes da lotaria. Detestava os refugiados ricos que tinham quartos em hotéis melhores do que o nosso e os refugiados pobres que não tinham sequer quartos, e a mulher misteriosa do nosso piso que passava a maior parte do dia encostada à porta do quarto aberta para o corredor escuro, fumando — «Como Messalina à espera de Sílio», dizia Julia. Mas o que ela mais detestava — o que detestava mais do que tudo — era a perspetiva de voltar para casa.

Oh, como ela desejaria não voltar para casa! Tinha sido assim desde o início. Primeiro, havia tentado convencer-me a ficar em Paris; depois, quando as bombas começaram a cair, a reinstalar-nos no Sul de França; em seguida, quando Mussolini começou a propalar boatos de que iria invadir essa zona, quis partir para Inglaterra, coisa que a Lei de Neutralidade nos proibia fazer (e por causa da qual ela não conseguia perdoar Roosevelt). E agora queria permanecer em Portugal. Portugal! Devia mencionar — e *posso* mencioná-lo, uma vez que Julia está morta e não pode impedir-me — que a minha mulher era judia, facto este que ela preferia manter oculto. E é verdade, em Portugal, não havia qualquer antissemitismo a referir porque, muito simplesmente, não havia judeus. A Inquisição tinha tratado desse pequeno problema. E assim ela decidira que este país, onde estava tão pouco inclinada a passar umas semanas, seria um lugar perfeitamente agradável para ficar até ao final da guerra. Pois ela jurara, quando nos tínhamos instalado em Paris, quinze anos atrás, que nunca regressaria a casa enquanto fosse viva. Bem, efetivamente nunca regressou.

E foi desde modo que nos encontrámos na Suíça naquela manhã — a Suíça, a pastelaria que, entre todas as pastelarias de Lisboa, nós, os estrangeiros, tínhamos colonizado. Estávamos sentados na esplanada, a tomar o pequeno-almoço e a observar o trânsito que circulava à volta da oval do Rossio, e era sobre esta ideia de ficar em Portugal que Julia discorria, enquanto eu bebia o meu café e comia o segundo daqueles deliciosos pastéis de nata de que a Suíça era especialista, e ela distribuía as cartas e começava a fazer uma paciência que fazia constantemente, utilizando um baralho especial em miniatura. *Tac-tac* faziam as cartas; *blá-blá* fazia a voz dela, enquanto contava pela centésima vez o seu esquema louco para alugar um apartamento ou uma moradia no Estoril; e entretanto eu ia-lhe explicando, pela centésima vez, que isso não era possível, porque a qualquer altura Hitler poderia fazer uma aliança com Franco e, nesse caso, Portugal seria engolido pelo Eixo. E que engraçado pensar que quando tudo fora dito e tudo fora feito ela estava certa e eu estava errado! Porque teríamos de facto ficado perfeitamente seguros em Portugal. Bem, agora é tarde de mais para ela me atirar isso à cara.

Foi então que os pombos investiram — eram tantos, voando tão baixo que tive de me agachar. Ao agachar-me, atirei as cartas ao chão.

— Não te preocupes, eu apanho-as — disse eu e, ao curvar-me para as apanhar, os óculos caíram-me. Um empregado que passava, no seu esforço para impedir que o tabuleiro cheio de chávenas de café que trazia se virasse, deu um pontapé aos óculos, atirando-os em direção aos pés de Edward Freleng. Foi ele que os pisou.

— Oh, diacho! — exclamou, agarrando o que restava da armação. — De quem são estes óculos?

— São meus — disse, do chão onde ainda estava, tentando reunir as cartas: um não despiciendo feito, uma vez que se levantara uma aragem — ou talvez tivesse sido o voo rasante das pombas —, espalhando-as ao longo do passeio.

— Deixe-me ajudá-lo — ofereceu-se Edward, ajoelhando-se ao meu lado.

— Obrigado — disse. Vendo que a tarefa era complicada demais, alguns dos clientes masculinos do café, bem como vários empregados, puseram-se de joelhos ao nosso lado. Quais comandos militares, batalhávamos por reunir as cartas, perseguindo aquelas que a aragem tinha arrebatado para fora do nosso alcance, enquanto Julia observava, com uma espécie de distanciamento paralisado. Evidentemente, compreendi — talvez apenas eu o tivesse compreendido — o quanto estava em jogo. Porque, se quatro ou cinco cartas desaparecessem, seria uma maçada, mas se uma só desaparecesse seria uma catástrofe.

E, miraculosamente, todas as cartas foram encontradas — e os homens que tinham participado na operação deram início a uma espontânea salva de palmas.

— Obrigado — disse a Edward, mais uma vez.

— Porque é que me está a agradecer — perguntou ele. — Fui eu que pisei os seus óculos.

— Não foi culpa sua.

— Não, foi das pombas — disse Iris Freleng, a duas mesas de distância.

— Algum tolo deve ter tentado dar-lhes comida — respondeu Edward. — Implacáveis, estes pássaros. Piranhas[1] do ar, chamam-lhes os locais.

— Ai sim?

— Podiam muito bem chamar-lhes assim. A palavra é portuguesa.

— Ficaram em mau estado? — perguntou Iris.

— Não muito — disse Julia. — Algumas pontas ficaram dobradas.

— Perguntava pelos óculos do seu marido. Ainda assim, fico contente de o saber. Nunca tinha visto cartas tão pequenas.

— São cartas especiais para jogar paciências — esclareci. — A minha mulher é uma conhecedora no que diz respeito ao jogo de paciência.

— Não sou uma conhecedora.

[1] Em português no original. *(N. da T.)*

— As variantes que ela joga exigem dois baralhos, e é por isso que as cartas têm de ser tão pequenas. Caso contrário, seria preciso uma mesa de jantar para as espalhar.

— Que interessante — disse Iris. — Pessoalmente, nunca consegui interessar-me por cartas.

— Eu *não* sou uma conhecedora — repetiu Julia, voltando a pôr as cartas dentro da caixa, em cuja superfície de pele de crocodilo sobressaía a ouro a palavra PACIÊNCIA.

— Claro que pagamos pelo arranjo — disse Edward. — Dos óculos.

— Não é preciso — afirmei. — Tenho outro par no hotel.

— Que sorte — respondeu ele. — Quer dizer, que tenham um hotel.

Em seguida, Iris sugeriu que nos juntássemos a eles na mesa. Depois de toda a confusão que Edward provocara, disse ela, o mínimo que podiam fazer era oferecer-nos um café.

— Ou uma bebida — acrescentou Edward.

Olhei para Julia. A sua expressão era imperturbável.

— É muito amável da sua parte — agradeci, mas, quando me levantei para fazer a curta viagem entre as mesas, tropecei.

— Cuidado — disse Edward, agarrando-me pelo braço.

Sentámo-nos todos juntos. Apresentámo-nos uns aos outros. Escrutinámo-nos. Pelo que via, os Frelengs eram mais ou menos da nossa idade — início dos quarenta. Iris usava o cabelo preso numa rede. Ela tinha um sotaque britânico, enquanto Edward apresentava aquele tipo de sotaque americano atonal, ao qual não se associavam quaisquer identificadores regionais. A sua voz era suave e dura ao mesmo tempo, como o barulho de pneus sobre cascalho húmido.

Perguntaram-nos de onde éramos e respondemos-lhes de Paris. E eles?

— Oh, nós já vivemos em todo o lado — disse Iris. — Nice, Bordighera, Biarritz. E há poucos anos alugámos uma casa em Pyla. É uma pequena aldeia de pescadores, mesmo à saída de Arcachon.

— Como estávamos tão próximo da fronteira espanhola, pensámos que podíamos esperar até ao último instante para sair — disse Edward. — Mas quando esse instante chegou, tínhamos já só cinco horas para fazermos as malas e partir.

— E, ainda por cima — afirmou Iris —, o meu passaporte, veja-me só, expirava nesse dia. Nesse mesmo dia! O que tinha o meu visto americano. E, por isso, quando chegámos a Bordéus, tivemos de ir primeiro ao consulado britânico para tratar do novo passaporte e, em seguida, ao consulado americano para o novo visto, e isto tudo antes do consulado espanhol e do consulado português.

— Nós também estivemos em Bordéus — disse Julia. — No Splendide, o gerente estava a alugar as poltronas do átrio por meia hora.

— O abrigo da Cruz Vermelha não aceitava cães.

De repente, Julia gritou e pôs-se de pé.

— O que é que se passa? — perguntei, levantando-me também.

— Alguma coisa está a lamber-me a perna.

— Não se preocupe, é só a *Daisy* — esclareceu Iris, levantando um *fox terrier* de pelo duro debaixo da mesa. — Adoras o sabor de creme hidratante, não é, *Daisy*?

— Quase morria de susto — respondeu Julia. — Morde?

— Já tem quinze anos — disse Edward. — Penso que o tempo em que mordia já passou.

A consciência de que tinha feito uma triste figura apossou-se gradualmente de Julia, que se sentou de forma apressada.

— Têm de desculpar a minha mulher — afirmei. — Ela não está habituada a cães.

— Quer dizer que não teve cães durante a sua infância?

— Tínhamos um *poodle*, mas era mais do meu irmão.

— A coisa mais notável sobre cães — disse Edward — é que, quando os recebemos, são bebés e, sem darmos por isso, têm a mesma idade do que nós e depois ficam velhos. É o mesmo que ver os nossos filhos a crescer e a tornarem-se nossos avós.

— A *Daisy* foi uma beldade no seu tempo — disse Iris. — Podia ter sido uma campeã se não tivesse uma cauda *gay*.

— O que é uma cauda *gay*? — perguntei.

— Significa que a cauda enrola demasiado — disse Edward.

— Coitadinha. — Iris sentou a cadela no colo. — Pensaste que ias passar os teus tempos de velhice numa casa de praia, não era? Bom, também nós pensámos.

Os olhos de Iris encheram-se de lágrimas.

— Agora é a minha vez de desculpar a *minha* mulher — disse Edward. — Tudo isto tem sido mais difícil do que ela gostaria de dar a entender. Não é que não tenha sido difícil para toda a gente. Vocês, por exemplo...

— Nós? — disse eu. — Oh, nós temos tido sorte.

— E como é isso possível, podes dizer? — perguntou Julia.

— Bem, conseguimos chegar até aqui sem sermos mortos, não foi? Vem aí um navio em nossa salvação. E quando pensamos no que alguns destes pobres diabos não dariam para arranjarem um bilhete para esse navio...

— Desculpa, mas não vejo porque é que o facto de eles terem de deixar as suas casas é pior do que nós termos tido de deixar as nossas — disse Julia.

— Oh, mas é — afirmou Iris. — Porque nós temos algum sítio *para* onde fugir, não temos? Enquanto tudo o que eles têm pela frente é o exílio, isto é, se encontrarem algum país disposto a aceitá-los.

— Mas é também o exílio para nós — respondeu Julia. — A França também era a nossa casa.

— Tudo o que somos é intrusos — disse Iris. — Turistas que ficaram alguns anos ou algumas décadas.

— Isso é um tanto duro, não? — perguntou Edward. — Olha, aquela senhora idosa que conhecemos no outro dia, a Senhora Thorpe, ela viveu em Cannes durante cinquenta anos. Não tem ninguém nos Estados Unidos, nenhum dinheiro, nenhum sítio para onde ir.

— Pelo menos é melhor do que um campo de concentração — disse Iris, ao que Julia reagiu. — Não, a verdade é que a *Daisy* é o único verdadeiro europeu aqui. Sabem o que é que as pessoas insistem em perguntar-me? Se ela é um *schnauzer*! Imagine-se, tomarem-te por um cão huno!

— Embora de ascendência britânica, a *Daisy* nasceu em Toulouse — explicou Edward. — Fruto de um casamento morganático entre um campeão inglês e uma camponesa francesa.

— O campeão Harrowhill Hunters Moon — disse Iris.

Daisy tinha posto as patas dianteiras sobre a mesa. Muito delicadamente, tirou um pãozinho do prato e pôs-se a mordiscá-lo.

— Isto faz-me lembrar uma coisa — disse Iris. — Temos uma consulta no veterinário às onze. Não é nada grave — acrescentou, virando-se para Julia que estava tão recostada na cadeira quanto possível —; é que as fezes dela não têm estado propriamente sólidas e estou a achar que pode ter lombrigas. Há uma espécie que se parece com grãos de arroz. Por outro lado, ela também tem andado a comer arroz.

Julia ficou muito pálida.

— Mas, minha querida — disse Edward —, não te parece que devíamos primeiro ajudar o Senhor Winters a regressar ao seu hotel, para que possa encontrar o par de óculos sobresselente?

— Oh, claro! — exclamou Iris. — Que falta de delicadeza da minha parte.

— Por favor, não se preocupem — respondi. — Está tudo bem.

— Nada disso — disse Julia. — Não consegues ver um palmo à tua frente sem os óculos.

— Onde é que estão alojados? — perguntou Edward.

— No Francfort — respondemos eu e Julia em uníssono.

— Que engraçado — disse Iris. — Nós também.

— Devem estar no outro — disse Edward. — Senão tê-los-íamos visto.

— No outro?

— Há dois: o Hotel Francfort, que fica perto do Elevador, e o Francfort Hotel, que é já aqui, ao lado do café.

— Estamos no outro, perto do Elevador.

— Esse é o melhor. Sabem, tornou-se uma piada popular entre os estrangeiros. «Pensem só: eis que estamos a fugir dos alemães, e acabamos num hotel chamado Francfort.»

Iris olhou para o seu relógio.

— Olha, Eddie — disse —, porque é que não vais *tu* acompanhar o Senhor Winters ao seu hotel?

— O cego a conduzir o outro cego, certo?

— E talvez a Senhora Winters queira acompanhar-me até ao veterinário?

— Eu?

— Não se importa, pois não? Ficaria muito reconhecida. Nem que fosse pela companhia. E, para ser franca, estou completamente farta de passar o tempo todo com o Eddie. Sem ofensa, querido.

— Não fiquei ofendido.

— Mas não tenho jeito nenhum para cães — afirmou Julia. Ela olhou para mim pedindo que fosse em seu socorro.

— Parece-me uma boa ideia — respondi eu.

— Vou pedir a conta — disse Edward.

— Como foste capaz de me fazer isto? — articulou com os lábios, sem som. Mas eu fingi não estar a reparar. Não via um palmo à minha frente, não era?

2

Metemos Iris, Julia e *Daisy* num táxi. Julia foi a primeira a entrar. Depois Iris passou-lhe o cão. Até esse momento, não reparara quão alta era Iris, especialmente quando comparada com Julia, que tinha apenas um metro e cinquenta e cinco. Para conseguir caber dentro do táxi, Iris teve de se dobrar como um canivete.

Com o braço erguido para mandar parar o trânsito, Edward conduziu-me para o outro lado da rua. Estava quase tonto de alívio e gratidão — a ele, mas também a Iris, que tinha acabado de me fazer um enorme favor ao tirar-me Julia por algum tempo das mãos. As últimas semanas tinham sido árduas, e Julia — bom, a forma mais simpática de o dizer seria que ela pouco tinha feito para as tornar menos árduas. Só conseguir que ela comesse era um esforço. Em casa, nunca comia muito e agora praticamente não comia. Também não apreciava o nosso quarto no Francfort, embora fosse um paraíso em comparação com alguns dos sítios onde tínhamos dormido durante a nossa viagem: hotéis imundos, celeiros, uma noite no chão de uns correios rurais franceses, várias noites no carro. Não pretendo sugerir que Julia fosse incapaz de lidar com a adversidade. Pelo contrário, não tenho qualquer dúvida de que, tivesse sido aquela uma viagem que lhe apetecesse fazer, ela teria suportado alegremente toda a espécie de desconforto. Mas não era uma viagem que lhe apetecesse fazer, e assim cada cama, cada jantar, cada casa de banho eram um suplício.

— Acha que elas irão almoçar? — perguntei a Edward.

— Quer dizer, as nossas mulheres? — Tinha esperança de que Iris fosse bem-sucedida onde eu falhara, que conseguisse que Julia comesse uma refeição nutritiva e, ao fazê-lo, me desse umas quantas horas de liberdade.

— Não vejo porque não — disse Edward. Agarrou o meu braço, como se eu fosse realmente um homem cego. — Não sei se está familiarizado com a cidade...

— Não muito.

— Então vou fazer de guia turístico. A zona onde estamos é a Baixa. A das colinas à nossa frente é o Bairro Alto. A das colinas, por trás de nós, é o bairro de Alfama. É onde fica o castelo, por onde vagueiam pavões brancos. Agora estamos a atravessar o Rossio. O Rossio não é o seu nome oficial, claro. O seu nome oficial é Praça Dom qualquer coisa. Aquela grande estátua bem ali em cima do pedestal é o próprio Dom qualquer coisa. Oh, e aqui está um pedaço interessante de história local. Consegue descortinar as pedras do passeio? Formam um padrão de ondas. O efeito é pensado para ser náutico, sugerindo o domínio de Portugal sobre os mares. Bem, no século passado, quando colonizaram Lisboa, os expatriados ingleses chamavam ao Rossio «Rolling Motion Square»[1] porque quando o atravessavam depois de uma noite a beber ficavam enjoados. Cuidado!

Quase caíra; teria caído se ele não me tivesse segurado.

[1] Praça do Movimento Ondulante *(N. da T.)*

— Parece conhecer tão bem a cidade — disse eu. — Já cá tinha estado antes?

— É a minha primeira vez. Cheguei há setenta e duas horas. O que me torna uma autoridade no que diz respeito a Lisboa.

— Uma autoridade maior do que eu depois de uma semana cá. — Tropecei uma vez mais, indo embater nele.

— Não consegue ver nada, pois não?

— Oh, consigo ver as silhuetas das coisas. Cores, formas. Ali, está uma grande minhoca amarela. E, ao lado, uma bola a pular. E piões a girar.

— A minhoca é um elétrico. A bola é um cão. Os piões são crianças. — Apertou-me o braço com mais força. — Agora que penso nisso, pergunto-me se não seria do meu interesse assegurar-me de que *não* arranja outros óculos.

— E porquê?

— Porque sem eles, é meu prisioneiro. Está completamente sob o meu domínio.

Deu-me um murro leve nos bíceps. Ri. Não consegui conter-me.

— O que é que é tão divertido?

— Não sei... Suponho que seja o quão estranho parece o mundo.

— E como é que ele parece?

— Como se tudo estivesse a ser apagado pelo vento. Até as coisas sólidas. O que está escrito nos sinais é como quando as letras que os aviões escrevem com o fumo começam a diluir-se.

— E eu? Como é que eu estou?

— Oh, a você consigo ver bem. Tenho vista curta, não hipermetropia.

— Sim, mas como?

Subitamente, ele fez-me parar. Agarrou-me no queixo e virou a minha cara até ficarmos de frente um para o outro.

De perto, as suas feições ficaram num ponto de focagem tanto mais nítido quanto o pano de fundo era desbotado. Uma cicatriz em ziguezague atravessava-lhe o queixo a todo o comprimento. As narinas palpitavam, os pequenos olhos verdes piscaram uma... duas vezes...

— Está — assentiu — ... está bem.

Aparentemente, esta resposta era mais cómica do que pensara, pois ele riu-se e deu-me umas palmadinhas nas costas. Retomámos o nosso passeio.

— É uma expressão curiosa, «vista curta» — disse ele. — Dizer que alguém tem vista curta... não é o mesmo do que dizer de um homem sem braços que tem duas pernas? Ou do que chamar a alguém que não come peixe um carnívoro? Se falássemos sempre assim todo o tempo, como poderíamos dizer alguma coisa uns aos outros, todos nós? Mas, *de facto*, estamos sempre a falar assim.

Não fazia ideia como responder — o que, suponho, ilustrava o seu ponto de vista — e, por isso, não disse nada. Por esta altura, tínhamos alcançado o outro lado do Rossio, onde os cafés mais luxuosos — a Brasileira, o Chave d'Ouro, o Nicola — estavam situados. Edward continuava com a mão no meu braço. Não estava tanto a conduzir-me como a puxar-me, tal como poderíamos puxar um cão pela trela. Não que me incomodasse. Na verdade, era um prazer, depois de tantas semanas a suportar nos ombros o peso de Julia, poder apoiar-me no ombro de outra pessoa. E o ombro de Edward era — como dizê-lo? — fiável. Isto devia-se em parte ao facto de ele ser alto. Eu tinha um metro e setenta e três centímetros — dezoito centímetros mais alto do que a minha mulher, mas dezoito centímetros mais baixo do que Edward, cuja estatura era particularmente digna de nota em Portugal, onde poucos homens excediam um metro e sessenta e cinco ou um metro e sessenta e oito centímetros. Mas havia mais qualquer coisa além disso. Ele tinha a qualidade que certos cães possuem de parecerem ter sempre um destino em mente, mesmo quando não o têm.

Perguntou-me qual era o meu trabalho e eu disse-lhe. (Na altura, trabalhava para a General Motors. Geria o departamento de vendas da Buick em França — geria, pelo menos até os Alemães chegarem.)

— Então tem um emprego remunerado — afirmou. — Isso é uma novidade para mim. Não me lembro da última vez que conheci alguém que tivesse um emprego remunerado, a não ser empregados de mesa e gerentes de hotéis. Escusado será dizer que não tenho um emprego remunerado.

— Não?

Ele abanou a cabeça.

— Nunca tive um emprego na minha vida. Espere, isso não é verdade. No verão em que fiz dezasseis anos, trabalhei numa loja. Vendia chá *yerba del sol*, conservas caseiras e livros sobre ocultismo. No entanto, nunca me pagaram. Ainda me devem oito dólares.

— Onde é que isso foi?

— Na Califórnia, na comunidade teosófica onde a minha mãe vive. Ou talvez devesse dizer antes a comunidade teosófica que vive na minha mãe.

Eu não sabia o que era a Teosofia.

— E para onde vai quando regressar aos Estados Unidos?

— Para Nova Iorque. Bem, para onde mais poderia ir?

— Você é de Nova Iorque?

— Vivi em Nova Iorque. Na realidade não sou de lado algum. O meu pai era húngaro, mas, quando nasci, há muito que ele tinha deixado a Hungria. E quanto à minha mãe — bom, tecnicamente, ela é polaca, embora tenha crescido em Inglaterra. O que significava que eles podiam apenas comunicar numa segunda língua. E uma vez que a minha mãe fala um inglês excelente mas um francês não tão excelente, e o meu pai falava um francês excelente mas um inglês não tão excelente, é de admirar que até aos cinco anos eu não tivesse proferido uma palavra?

— Mas o seu inglês é excelente.

— Isso foi sorte. Tinha uma tia-avó que vivia em Nova Iorque. Tomou-me sob a sua proteção. Graças a ela, pude estudar.

— Onde?

— Harvard, depois Heidelberg, por pouco tempo, depois Cambridge para o doutoramento, o qual nunca acabei. Foi aí que conheci Iris, em Cambridge. E você?

— Ora, eu só frequentei uma pequena universidade em Indiana. Wabash College. Provavelmente nunca ouviu falar dela.

— Na realidade, ouvi. Só não consigo localizar onde.

Estávamos agora a aproximar-nos do Francfort — o nosso Francfort. Disseram-me que o hotel havia encerrado há alguns anos. Ficava na Rua de Santa Justa, junto do famoso Elevador de Santa Justa, de cujo telhado em forma de torre se podia ter uma visão magnífica da cidade, das docas, dos montes distantes em cujas sombras, nas noites claras, cintilavam o Estoril e Sintra. O Francfort tinha uma porta giratória. Sempre adorei portas giratórias, o espelho e o rodopio, como se, ao entrarmos numa delas, por breves instantes ficássemos selados, confinados, prisioneiros num pedaço de vidro... E agora eu estava num compartimento da porta giratória, e Edward num outro atrás, empurrando-me para a frente com uma tal velocidade que tropecei à saída como se estivesse bêbado... Sobre o chão de azulejos do átrio havia ilhas dispersas de mobília, cada qual com o seu próprio recife de tapete. As cortinas estavam corridas para não deixarem entrar o sol. Àquela luz artificial, os brincos das mulheres cintilavam como moedas; as pontas acesas dos cigarros pareciam luzes de archotes.

— Vejam-me isto! — disse Edward. — Uma entrada de hotel condigna! O nosso Francfort não tem um átrio sequer, só uma receção e mal arranjada. Oh, e também têm um jardim de inverno!

— Não serve de muito no verão, um jardim de inverno — retorqui, como se tivesse motivo para ter vergonha. — Bem, obrigado por me trazer são e salvo. Acho que consigo desenvencilhar-me a partir daqui.

— Nada disso, não vou arriscar a que fique com o pescoço partido ao percorrer um corredor escuro. Espere um segundo.

Foi a passos largos até ao balcão da receção, onde durante cerca de cinco minutos conversou com o Senhor Costa, o gerente do hotel, num francês demasiado idiomático e rápido para que eu o conseguisse seguir. Pois, apesar de ter vivido em França durante quinze anos, ao trabalhar para uma empresa americana acabei por nunca dominar verdadeiramente a língua. Nem tão-pouco Julia. Isto era para ambos uma permanente fonte de embaraço.

Quando ele regressou, tinha na mão a chave do nosso quarto.

— Desculpe tê-lo feito esperar. Estava só a pedir ao gerente para tomar nota do meu nome no caso de vagar aqui um quarto... Oh, olha, um elevador! O que não daríamos nós por um elevador, especialmente agora que estamos no último andar.

— Sim, mas é um elevador bastante antigo — disse eu, enquanto entrávamos. — Está sempre a avariar.

— Chiu — Edward pousou um dedo sobre os lábios. — Não devia dizer coisas dessas porque podem ouvi-lo. — E nessa altura, o elevador, como que para marcar a sua posição, estremeceu, subiu aos solavancos, por assim dizer, durante uns longos segundos, até se arrastar, com um enorme gemido de esforço, até ao segundo piso. — Está a ver o que eu queria dizer? Acontece o mesmo com os carros. Não os podemos elogiar, senão eles avariam imediatamente. Claro, estando no negócio dos carros, você deverá saber isso melhor do que eu.

— Não tenho o hábito de falar com os meus carros.

— Mostra sabedoria. A conversa deles não é grande coisa.

Tomou-me novamente pelo braço. Conduziu-me ao longo do corredor — ele e Messalina acenaram com a cabeça um para o outro, como se fossem velhos conhecidos — até à minha porta, na qual enfiou a chave como se fosse a sua. A luz do sol penetrou através da frincha.

— Ora bem, isto é agradável — disse ele, apoderando-se do nosso pequeno quarto, com o seu estreito leito, o chão de azulejos de desenhos intricados, a única cadeira para onde Julia tinha atirado um dos seus chinelos. Frascos e frasquinhos, os unguentos e emolientes com os quais a minha mulher contava para manter a juventude, estavam espalhados pela base do toucador. — Oh, não me diga que têm uma casa de banho!

— Lamento, mas sim, temos.

— Não lamente, fique feliz. Posso? — Abriu lentamente a porta. A roupa interior estava pendurada a secar numa corda que Julia tinha instalado sobre a banheira.

— Peço desculpa pela desarrumação — disse eu. Mas Edward não estava a ouvir. Primeiro, experimentou a torneira de água fria e a de água quente. Depois tirou a tampa do ralo do lavatório. Em seguida, apalpou um dos *collants* de Julia.

— Seda — disse, acariciando tecido. — Com renda feita à mão. Muito bom.

Estava estupefacto. Seria isto um elogio? E se assim fosse, quem estava a ser elogiado?

— Julia foi sempre muito seleta com as suas coisas — disse eu.

— Ela tem uma cintura minúscula — constatou ele, enfiando a mão por uma das pernas dos *collants*. — Iris tem uma figura mais opulenta. Diria rubenesca, se Rubens tivesse alguma vez pintado raparigas escocesas. Claro, ela nunca usaria uma coisa destas. Só usa cuecas brancas de algodão. Cuecas de colegial. — Sorriu para mim. — Gosta desse tipo de coisa? Percebe o que eu quero dizer, uma mulher já feita, em roupagem de rapariga?

— Não sei. Realmente, nunca pensei nisso.

— Vá lá. De certeza que já pensou nisso. — Aproximou-se. — Cuecas de colegial numa mulher com curvas. O efeito pode ser bastante atraente.

— Peço desculpa. — Saí da casa de banho e dirigi-me para a janela que abri.

— Sente-se bem?

— Sim. Mas preciso de apanhar um pouco de ar.

Agora ele estava por trás de mim, com as mãos sobre os meus ombros.

— Ah, isto é que é um cheiro bom. O verdadeiro cheiro de Lisboa. Roupa a secar, tripas de peixe, fumo de carvão... E o que é aquilo? Escute.

Além do lamento de uma portada que se tinha soltado, o único som era o de um pianista — de uma criança, supus — a praticar um *intermezzo* de Brahms.

— Oh — disse eu. — Ele tem estado a tocar aquela mesma peça desde que aqui chegámos, só que parece não conseguir passar desse acorde. Um segundo, lá vem ele. — E de facto o pianista, tendo conseguido abrir caminho pelas primeiras linhas da partitura, chegou ao acorde problemático. Falhou-o; recomeçou. — Todos os dias é a mesma coisa. Depois de algum tempo, começa a ser realmente exasperante.

— Pelo menos, não é o trânsito. O nosso quarto dá para um mercado exterior. Se fecharmos a janela, sufocamos com o calor. Mas se a abrimos, não conseguimos dormir por causa do barulho. Para não falar do cheiro pestilento.

— Que coisa bizarra, os dois hotéis com o mesmo nome.

— É, não é? Já fiz perguntas por aí. A história é a de que eles tiveram o mesmo dono. E quando este morreu, deixou um dos hotéis a um filho e o outro ao outro filho, mas os irmãos entraram em rivalidade e tentaram superar-se, fazendo renovações, até que acabaram os dois por se arruinar e tiveram de vender os hotéis. E embora já tenham passado uns anos desde a altura em que os hotéis tinham alguma ligação entre si, a disputa ainda se mantém, por si mesma. O problema é que ninguém que não seja de Lisboa percebe porque é que na realidade existem *dois* Hotel Francfort, ou será que deveria dizer antes Hotéis Francforts?

— Não tenho a certeza.

— Digamos então Hotel Francfort. E como ninguém que não seja de Lisboa percebe que são dois hotéis diferentes, às vezes as cartas endereçadas aos clientes de um vão parar ao outro, onde, normalmente, são atiradas para o lixo.

— A sério?

— Já o vi acontecer. É um desastre para os refugiados que estão sempre à espera que alguma coisa importante chegue pelo correio. Posso? — Puxou a cadeira debaixo do toucador e sentou-se. Voltei-me para ele. As suas pernas estavam suficientemente abertas para que as calças lhe comprimissem os testículos.

— Sente-se — disse ele. Não havia lugar para sentar a não ser na cama, por isso, sentei-me na cama. Ele pôs as mãos atrás da cabeça, enquanto se inclinava um pouco na cadeira. Agora, as pernas dele, cruzadas por cima do tornozelo, estavam esticadas a ponto de os nossos sapatos se tocarem.

— Pete — disse ele. — Posso fazer-lhe uma pergunta?

— Claro.

— Ofendi-o há pouco, quando falei daquela forma sobre a roupa interior da sua mulher?

— Ofender-me? Não.

— Mas choquei-o. — Ele encolheu os joelhos e inclinou-se para a frente. — Tem mesmo de me perdoar. Anos de vida de hotel tornaram-me um bruto.

— Pensei que tivesse uma casa.

— Nós temos, agora. Antes, porém, durante os anos de peregrinação, como eu lhes chamo, vivemos em hotéis. Dúzias deles. E todas as noites, depois do jantar, as senhoras retiravam-se para a sala de estar, enquanto os senhores se refugiavam na sala de fumo para fumar charutos e contar histórias porcas. As estâncias turísticas continentais são tão antiquadas quanto isto. Claro, você está a milhas disto tudo. — Ele deu um empurrão no meu sapato com o dele.

— Não, não estou.

— Não se preocupe. Acho isso refrescante.

— Mas não estou a milhas. Como poderia estar? Toda a minha vida trabalhei em *showrooms* de automóveis. Os vendedores de carros não são exatamente umas flores de estufa. Ouvimos muitas histórias picantes.

— A sério? Conte-me uma.

— Neste momento, não consigo lembrar-me de nenhuma.

— Tudo bem, então. Venda-me um carro. Adoraria comprar-lhe um carro.

— Posso vender-lhe o *meu* carro. É uma beleza: um *Sedan Buick Limited* de 1939, seis lugares, praticamente novo, com apenas os quilómetros entre Paris e Lisboa no conta-quilómetros.

— Veio a guiar até Lisboa? Como é que isso correu?

— Na estrada para Bordéus, o trânsito andava a passo de caracol. Havia agricultores com carroças puxadas por burros, camponeses a empurrarem as mães em carrinhos e cavalos carregados com toda a espécie imaginável de lixo: penicos, bancos de ordenha, galinhas em gaiolas. E, no meio disso tudo, *Packards* e *Hispano-Suizas* a buzinarem para pôr tudo a andar mais depressa. Depois, a cada duas ou três horas, surgia um comboio militar, tentando deslocar-se em sentido contrário, em direção a Paris, mas como a estrada não tinha berma, tudo acabava numa confusão desesperadora... E pensei, a França está condenada.

— Meu Deus.

— Julia recusou-se a ir para os campos. Todas as outras mulheres foram, mesmo as que seguiam nas limusinas, não tinham quaisquer escrúpulos em levantarem os casacos de peles e agacharem-se. Mas não a Julia.

— Nós viemos de comboio — disse Edward. — No Sud Express, ficámos encalhados nove horas em Salamanca, com as luzes apagadas e a chuva a cair torrencialmente. Choveu durante todo o caminho até à fronteira portuguesa. O sol só apareceu quando a atravessámos. O que acha deste simbolismo barato? — Subitamente, ele deu um estalido com os dedos. — Agora já me lembro onde é que ouvi falar de Wabash. «The Wabash Cannonball»[1]. Como é que é a letra? «Adiante dos lagos não-sei-o-quê, onde não-sei-o-quê cai...»

— «Não pensem que haverá mudanças no Wabash Cannonball.»

— Um comboio, não era assim?

— Há inúmeras histórias sobre ele. Por exemplo, que tinha setecentas carruagens. E que o motor era tão rápido que chegávamos ao nosso destino antes mesmo de partirmos.

---

[1] Nome de uma canção popular americana sobre um comboio lendário. A canção teve várias reinterpretações durante as décadas 30-40. *(N. da T.)*

— É engraçado que diga isso — disse ele —, porque, quando eu era rapaz, sempre que ia de comboio visitar a minha mãe à Califórnia, cumpria uma espécie de ritual. Percorria o comboio todo, de uma ponta à outra, e ia de costas até à última carruagem enquanto o comboio andava para a frente. E depois na outra direção, até ao motor. Tinha de o fazer. Era como aquelas brincadeiras de miúdos, quando dizíamos a nós mesmos que não podíamos pisar nalguma pedra no passeio sob pena de alguma coisa acontecer... Já me tinha esquecido disso, até que, há uns dias, no Sud Express, me vi a fazer precisamente a mesma coisa. Só que o comboio se movia tão lentamente que eu conseguia sincronizar o meu ritmo com o dele. Podia caminhar para trás precisamente à mesma velocidade com que ele avançava para a frente. E, assim, em cada uma das suas janelas, a cena era a mesma. Um campo enlameado, uma cabra... Se *aquele* comboio tivesse tido setecentas carruagens... — Descruzou as pernas, depois voltou a cruzá-las ao contrário e, ao fazê-lo, esticou-as um pouco. Agora os nossos pés cruzavam-se.

Nenhum de nós se moveu. A portada solta bateu na parede. O pianista tocou o acorde inevitavelmente errado.

— Oh, os seus óculos — disse Edward. — Ainda não tem os seus óculos.

Mas eu tinha-me esquecido completamente deles.

3

DEMOREI DEZ MINUTOS A ENCONTRAR OS ÓCULOS. Enquanto Edward aguardava, absorto, vasculhei o nosso baú, a minha mala, a mala de Julia, a sacola da máscara antigás onde guardávamos o nosso dinheiro e papéis, até localizá-los finalmente no meu estojo de toilete: um velho par, em tartaruga, com as lentes um pouco riscadas.

Mal os pus, senti-me nauseado.

— Sente-se bem? — perguntou Edward, levantando a mão para me segurar.

Agora as suas pestanas eram tão pontiagudas como agulhas, a sua cicatriz tão vívida que parecia recente.

— Estou bem — respondi. — Preciso só de me orientar. A graduação é um pouco mais fraca do que o outro par.

— Nunca usei óculos. Posso experimentá-los?

Passei-lhos para a mão — senti-me aliviado por ver o seu corpo dissolvendo-se novamente na imprecisão.

Ele colocou-os e cambaleou de forma teatral.

— Meu Deus, não consigo ver nada.

— É porque vê bem.

— Vinte-quinze. Melhor não é possível. Pergunto muitas vezes a mim mesmo porque não fazem óculos para pessoas que veem *demasiado* bem. Quer dizer, ver as coisas tão claramente que chega a doer, não será isso uma espécie de defeito? Uma espécie de... ilusão? — Tirou os óculos, limpou-os com a ponta da camisa e devolveu-mos. — Bom, gostei muito desta pequena comédia de enganos. Tenho de lhe agradecer.

— Não devia ser eu a agradecer-lhe?

— Porquê? Por ter partido os seus óculos?

— Não... porque me trouxe até aqui.

— Era o mínimo que podia fazer. — Ele encaminhou-se para a porta, girou a maçaneta e deu meia-volta. — Por falar nisso, não quereriam por acaso jantar connosco esta noite? Você e a sua mulher?

O seu tom, para o meu ouvido, parecia hesitante e, querendo também parecer hesitante, disse que dependeria de Julia. Ela poderia estar demasiado cansada.

— Veremos então. E agora já sabe onde me encontrar.

— No outro Francfort.

— Este é o outro Francfort. Ou talvez sejam os dois o outro Francfort. Bem, adeus.

Apertámos as mãos e ele saiu. Fiquei junto à porta até já não conseguir ouvir os seus passos ao longe. Agora que já estava a habituar-me outra vez a usar óculos, fiquei surpreendido por o quarto parecer tanto um harém. Não eram só os frascos e frasquinhos no aparador, eram os vestidos de Julia, os seus *negligés*, o seu próprio cheiro — de cigarros, de pó de arroz e de Jicky da Guerlain. No entanto, o cheiro de Edward estava lá também, adstringente e canino. Para a despistar do cheiro, por assim dizer, escancarei a janela. A portada solta bateu na parede. O pianista tocou o acorde inevitavelmente errado. Lá em baixo, na rua, uma velhota estava sentada num banco, a descascar batatas.

Na casa de banho, tirei os sapatos. O que vi no espelho não me impressionou: uma cara anglo-saxónica vulgar, bochechas salientes e imperturbáveis. À exceção dos mamilos cor de romã, o peito era um campo indefinido. O meu cinto tinha imprimido um trilho rosado no abdómen, como se um trator tivesse acabado de o atravessar... Por outras palavras, um corpo do Midwest. Uma Grande Planície. E quão diversificada, por comparação, era a paisagem da cara de Edward, e apenas da sua cara! A cicatriz, em particular, fascinava-me. Não mencionara ele Heidelberg? Algures, lera que nas universidades alemãs os estudantes envolviam-se em combates de espada como um rito de passagem. Cicatrizes faciais eram vistas como medalhas de honra e lavadas amorosamente com água. Seria esta, então, a história por trás da cicatriz de Edward? Não importa qual fosse, eu queria lê-la. Queria ler Edward.

Estava a aproximar-se a hora do almoço. Ocorreu-me que estava esfaimado, por isso vesti-me e desci para o restaurante do hotel. Pelo caminho, deixei a minha chave no balcão da receção, no caso de Julia regressar. Só meia dúzia de mesas estavam ocupadas, pois Lisboa é uma cidade onde as pessoas comem tarde. Pedi uma omelete. Veio preparada ao estilo espanhol, com batata aos pedaços. Devorei-a. Depois, comi um pudim, três damascos e uma banana. Para finalizar, bebi dois garotos[1], esses pequenos cafés com leite portugueses, seguidos de dois copos de aguardente, que é o equivalente português da *eau-de-vie*. Depois voltei ao átrio. A chave do nosso quarto já não estava pendurada no gancho. Senti uma guinada no estômago. Disse para comigo que devia comer mais devagar. A minha digestão já não era o que fora outrora.

Sem desejar arriscar-me outra vez no elevador, subi a pé os dois lances de escada até ao nosso piso. Bati à porta.

— Quem é? — disse Julia do outro lado.

— Sou eu.

Ouviu-se um clique e a porta abriu-se. Ela não me deu um beijo nem sequer me cumprimentou. Ao invés, regressou

---

[1] Em português no original. *(N. da T.)*

ao toucador, na superfície do qual tinha espalhado as cartas. Tirou do cinzeiro um cigarro meio fumado; deu uma passa; pousou-o outra vez.

— Quando é que regressaste? — perguntei.

— Há vinte minutos — disse ela.

— E como foi?

— O quê?

— A tua saída. Divertiste-te?

Ela virou-se e fitou-me sem desviar o olhar.

— Diverti-me? Estás a gozar? Depois de andar quilómetros e quilómetros num táxi rumo a um bairro de lata qualquer perdido no meio de nenhures... E aquela cadela nojenta, com um bafo repugnante... E depois as horas à espera do veterinário com um calor abrasador, com aquela amostra das suas fezes *fumegando* entre nós... Se me diverti?

— Desculpa. Não me tinha apercebido...

— E a pior parte, a parte que realmente me enfureceu: ela é inglesa. Quer dizer, tem um passaporte inglês. E, por isso, em Bordéus, eles podiam ter embarcado naquele navio se quisessem, aquele que Churchill enviou para socorrer os ingleses que não conseguiam sair. Podiam ter embarcado nesse navio e, nesse caso, estariam neste momento em Londres. Hoje mesmo. Mas não. E porquê? Por causa da cadela.

— A sério?

— Sim! É isso mesmo! A única razão! Não têm grande vontade de ir para Nova Iorque. Ela *disse* que Nova Iorque, Londres, é tudo o mesmo para eles. São nómadas, diz ela. E no entanto abdicaram da oportunidade de irem de barco para Inglaterra, quiseram passar pelo suplício hediondo de obterem todos aqueles vistos e de atravessarem Espanha até chegarem aqui, e tudo porque, se fossem para Inglaterra, a cadela teria de ficar de quarentena. Uma cadela com quinze anos! O que achas disto?

— Bem, devem gostar mesmo dessa cadela.

— Claro, tens de compreender que para algumas mulheres um cão pode fazer as vezes de um filho. Mas quando pensamos nas circunstâncias...

— Mas, Julia, não podes pensar que por eles não terem ido para Inglaterra isso signifique que poderíamos ter ido nós no lugar deles. Sabes perfeitamente que não poderíamos. Não nos teriam deixado embarcar.

— Pois, insistes nisso. Mas não quiseste sequer tentar. Como é que sabes que não nos teriam deixado embarcar?

— Conhecem a lei tão bem quanto nós.

— Mesmo se tivéssemos oferecido dinheiro ao comandante?

— A um comandante inglês? Por favor!

Tendo o seu jogo chegado a um beco sem saída, ela juntou as cartas.

— Parece-me tão injusto que eles deixassem passar ao lado uma oportunidade pela qual eu, para a ter, era capaz de matar. E isso pelas razões mais ridículas possíveis.

— Ridículas para ti, talvez.

— Desafio-te a encontrares em Lisboa uma única pessoa que não concordasse que não ir para Inglaterra por causa de um cão com quinze anos é ridículo.

Não respondi àquilo. Abri a janela que ela tinha fechado.

— Este quarto está imundo — disse. — Cheira mal.

— A criada ainda não veio. As criadas aqui são realmente umas inúteis, limitam-se apenas a fazer a cama e a mudar as toalhas, e isto só quando lhes apetece. Nem sequer apanham as nossas roupas do chão.

— E não podes apanhar tu as tuas roupas?

— E porque o faria? E porque o faria? Só ficamos aqui mais uma semana. Dez dias no máximo. Desprezo este hotel. Desprezo esta cidade.

— Mas ainda esta manhã dizias que querias ficar cá.

— Oh, preferia ficar aqui a voltar para Nova Iorque, de facto. Não que tenha qualquer voto na matéria. Parece que sou escrava do meu marido.

— Não és minha escrava. Podes fazer o que te der na veneta.

— Então está a sugerir o quê, que fique cá sozinha?

— Não sejas tonta.

— Não, penso que é isso que estás a sugerir. E sabes que mais? Acho que é uma boa ideia. Na verdade, não vejo motivo algum para não começar a fazer já as malas, especialmente quando parece que achas que os meus hábitos pessoais são tão intoleráveis.

— Nunca disse isso.

— Bom, não te preocupes. Em breve já cá não estarei e poderás manter o quarto tão arrumado quanto quiseres.

— Julia, por favor...

— Com licença. — Ela levantou-se, afastou-me do seu caminho, tirou a mala do armário e começou a atirar para dentro dela todas as roupas que estavam espalhadas pelo quarto, os frascos e frasquinhos, as cartas das paciências, até mesmo a roupa interior pendurada sobre a banheira, embora não estivesse ainda seca.

— Julia, isto é uma loucura. Não podes ficar aqui sozinha. Vais viver de quê?

— Arranjo um emprego.

— Mas não tens documentos. Não podes trabalhar sem ter os documentos. E, de qualquer modo, não é seguro.

— A mim parece-me completamente seguro.

— Por agora, sim. Mas durante quanto tempo? Tens de perceber que as coisas podem ficar terrivelmente perigosas, até para nós. Especialmente se entrarmos na guerra. Ao que se vem acrescentar o facto de seres...

— O quê? Vá, continua. Di-lo.

— Está bem. Judia.

— E como é que é suposto eles descobrirem isso? É o teu nome que está no passaporte. Winters não é um nome judaico.

— Sim, Julia, mas na Alemanha estão a obrigar as pessoas a *provar* que não são judias. Poderá chegar-se ao mesmo aqui, também, se Portugal acabar por ficar no outro lado. Por favor, minha querida. — Agarrei-lhe a mão, com a qual ela inspecionava o armário. — Por favor, sê realista.

O que quer que ela estivesse a agarrar, deixou-o cair. Larguei-lhe também a mão. Ela sentou-se na beira da cama e começou a chorar.

— Não é *justo*. Quando fui para Paris, disse à minha família que nunca iria regressar a Nova Iorque, e estava a falar a sério. E agora eles vão ter a oportunidade de que estavam à espera todos estes anos: de se rirem de mim. De me dizerem: «Eu bem te disse.»

— Mas nem sequer tens de os ver.

— Estás a gozar? Eles vão estar no cais à nossa espera. No momento em que descermos a ponte de desembarque, ali estarão eles.

— Mas como saberão que estamos a chegar?

— A minha mãe saberá. Ela sabe tudo o que eu faço.

Sentei-me ao lado dela e pus um braço à volta das suas quentes e estreitas omoplatas.

— Não deixarei que isso aconteça — afirmei. — Disse-te desde o início, Julia, eu tomarei conta de ti. Irei proteger-te. E não temos de ficar sequer uma única noite em Nova Iorque, caso não queiras. Podemos apanhar um táxi logo no cais até à Grand Central. Vamos de comboio para Chicago. Talvez, possamos ir visitar o meu irmão Harry...

— Ele nunca gostou de mim. Não aprovou que casasses comigo.

— Isso foi há séculos. Ele tem sentido a nossa falta.

— Não me sentiria confortável lá. Não me sinto confortável a não ser na Europa. Quando partimos de Nova Iorque, jurei que iria ser enterrada aqui, tu lembras-te, e estava a falar a sério.

— E serás, Julia. Serás. — Ela levantou os olhos para mim. — Oh, não é isso que quero dizer. O que quero dizer é que, quando a guerra terminar, nós voltaremos. Recomeçaremos onde ficámos. Porque, em linha reta, Nova Iorque não é de facto muito longe, pois não? Literalmente, em linha reta, agora que há esses voos *Clipper*.

— Gostava que não houvesse nenhuns voos. Nenhuns navios, nenhuns hidroaviões, nenhum modo de atravessar o Atlântico.

Beijei-a na cara.

— Isso é porque estás a sentir-te assim hoje — disse eu. — Acredita-me, mal ponhamos estas últimas semanas para trás das nossas costas, as coisas vão parecer mais risonhas.

— Veremos.

Ela levantou-se. Foi para a casa de banho. Ouvia a água a correr no lavatório.

— Olha, é verdade, queria perguntar-te — falei-lhe através da porta entreaberta —, o que é que achas dela, tirando a cadela?

— Quem? A Iris? Ela é louca, mas também essas pessoas costumam sê-lo.

— Essas pessoas?

— Escritores. Ele não te contou? Eles são o Xavier Legrand. Sabes, os romances de detetives. Escreveram o primeiro como uma brincadeira e depois, só para verem o que acontecia, enviaram-no para a América. Fingiram que o autor era um vizinho deles, um comissário de polícia francês reformado, e que eram os seus tradutores. Bom, quanto aos três primeiros livros, conseguiram enganar toda a gente, mas depois um editor *francês* começou a investigar e a querer trazer a lume os originais. O que, claro, estava fora de questão, uma vez que não havia quaisquer originais — os livros eram escritos em inglês — e assim eles tiveram de confessar. Mas ninguém pareceu incomodar-se e agora é um segredo que toda a gente conhece, que Xavier Legrand é realmente este casal de expatriados. Ficaram bastante bem, além disso. Não que precisem de dinheiro.

— Eles têm dinheiro?

— Claro que ela não o disse. Esse tipo de pessoas não o *diz*, e, no entanto, é o modo como não o admitem que diz tudo.

Saiu da casa de banho, secando a cara. Que nós não éramos «esse tipo de pessoas»; que eu tinha de trabalhar; que sem o meu emprego não teríamos conseguido viver em França — tinha sido sempre um assunto delicado para ela. Eu venho de uma classe média sólida — o meu pai geria uma fundição metalúrgica — o que me tornava, em muitos sentidos, um par improvável para ela. O que ela realmente precisava era de um homem como Edward, um homem com dinheiro para derreter, dinheiro que ele não tinha de ganhar. No entanto, quando a conheci não havia nenhum homem assim na costa, ou pelo menos nenhum disponível para lhe dar o que ela aguardava pacientemente, que era um apartamento em Paris. Não digo isto para me lamentar de ser pobre. Vivíamos mais do que confortavelmente, eu e Julia. Jamais, no decurso do nosso casamento, tive alguma vez de lhe negar alguma coisa que ela quisesse. Ainda assim, não éramos ricos. Quase tudo o que eu ganhava, gastava. Quaisquer poupanças que tivéssemos eram em francos, os quais, com a ocupação alemã, tinham perdido praticamente todo o seu valor. Com efeito, se não fossem as três notas de cem dólares (um presente do meu irmão Harry) que, num momento de premonição prudente, eu tinha guardado na minha gaveta das meias, não sei como teríamos sobrevivido em Lisboa. Provavelmente, Julia teria de ter vendido as suas joias.

Ela acabou por sentar-se novamente à frente do toucador. Voltou a baralhar as cartas.

— Ele perguntou se gostaríamos de jantar com eles esta noite — disse eu com cautela. — Quer dizer, Edward perguntou.

— Ai sim? E o que lhe disseste?

— Que dependeria de ti. Se te sentisses com disposição para isso. — Respirei fundo e deixei passar uns segundos. — O que te parece?

— Porque não? Temos de comer.

— Quer dizer que vais?

— Porque é que pareces tão surpreendido? Seja o que for que se possa mais dizer sobre eles, não são uns chatos. E qual é a alternativa? Mais um jantar deprimente aqui no hotel? Não, obrigada.

— Está bem, vou telefonar-lhes a dizer que a combinação está de pé. Ou melhor, vou dar um pulo ao hotel deles e deixo-lhes lá um bilhete. Sim, acho que será melhor deixar-lhes um bilhete.

— O que achas que devia levar vestido?

— Porque não sair e comprares um vestido novo?

— Em Lisboa? Por favor! — Mas consegui ver pelo seu tom de voz que ela estava a considerar a proposta.

— Bom, estou de saída — disse eu. — Volto dentro de meia hora ou algo do género. E também — eu estava já junto à porta —, não te esqueças, querida, que a Inglaterra não é uma aposta segura. Ao fim e ao cabo, estão em racionamento. Qualquer dia, podem começar a cair bombas.

— E qualquer dia, submarinos alemães podem aportar em Long Island — respondeu Julia.

— Tens razão — assenti. — Qualquer dia submarinos alemães podem aportar em Long Island.

4

Se tivessem conhecido Julia naquele verão, o verão de 1940, teriam provavelmente pensado que era uma mulher serena, elegante, subnutrida e austera. Tinha quarenta e três anos, mas parecia ter trinta e cinco, com uma firme pele pálida, cabelo castanho curto e olhos enormes, como os dos marsupiais noturnos. Vestia-se de forma conservadora. Lanvin ou Channel, e não Schiaparelli[1]. Fazenda ou algodão ou seda preta, não musselina verde-água. Nada na sua aparência sugeria erotismo, provocação ou vulnerabilidade. Mas ela era uma caixa de surpresas.

Tínhamo-nos conhecido... mas acontece o seguinte: não consigo de todo lembrar-me exatamente onde nos conhecemos, apenas que aconteceu numa receção que se seguiu a algum tipo de conferência pública ou recital ou leitura de poesia. Pois em Nova Iorque, nos anos vinte, conferências públicas e recitais e leituras de poesia eram em larga medida a região dos inquietos e dos perdidos — dois clubes dos quais eu era

[1] Elsa Schiaparelli, estilista italiana do período entre-guerras muito influenciada pelos surrealistas, em particular por Salvador Dalí e Jean Cocteau, com os quais colaborou, criando assim algumas das suas peças mais célebres. *(N. da T.)*

membro encartado. Tinha então vinte e cinco anos e trabalhava num concessionário da Oldsmobile, na Broadway, um emprego que tinha conseguido por intermédio do meu irmão Harry que, embora mais novo do que eu dois anos, já estava em ascensão na hierarquia da General Motors. Como muitos outros filhos mais novos, Harry julgava ser seu dever tomar conta dos irmãos mais velhos, que ele via como uns inúteis. Bom, o nosso irmão George — esse era realmente um inútil. Ainda o é. Eu apenas não tinha objetivos. Após a minha formatura em Wabash, tinha voltado para casa dos nossos pais, cujo casamento estava a desmoronar-se. O meu pai tinha outra mulher e a mãe sabia-o. Quase todas as noites, ela bebia até ficar num estado de torpor sobre a mesa da cozinha. Numa certa tarde, o meu pai chamou-me ao seu escritório em casa e disse: «Não importa se me odeias, desde que tomes conta da tua mãe.» Como se não fosse certo que isso me fizesse sair de casa! E assim escrevi a Harry que me arranjou o emprego em Nova Iorque. Penso que ele compreendeu que me iria fazer imensamente bem sair de Indianápolis e começar a ganhar o meu próprio dinheiro. Quanto à nossa mãe, bem, ele assumiu, também, esse dever. Os filhos mais novos são assim. Fora um sacrifício pelo qual, anos mais tarde, ele não perderia uma ocasião para me punir.

E desta forma, portanto, encontrei-me em Nova Iorque, vendendo carros, e, com efeito, estar noutro lugar que não fosse Indianápolis fez-me imensamente bem e foi maravilhoso descobrir que era capaz de ganhar o meu próprio dinheiro. Porém, ainda não tinha objetivos, tinha poucos amigos, motivo pelo qual, na maioria das noites, ia às mencionadas conferências públicas e recitais e leituras de poesia. E, numa destas ocasiões, encontrei Julia que era também uma presença regular em tais eventos, mas por motivos diferentes. Embora proveniente de uma família rica, ela dispunha de pouco dinheiro. Vivia com a sua mãe viúva que a trazia com rédea curta.

E agora algumas informações sobre as suas origens. A família de Julia era constituída por judeus bávaros. O seu nome de solteira era Loewi. Na década de 1850, o avô e dois dos seus irmãos tinham emigrado de Fürth para Nova Iorque, onde fundaram uma fábrica de botões forrados a tecido. De botões forrados a tecido eles passaram para lúpulo, de lúpulo para matérias-primas. Em Nova Iorque, aprendi então que os judeus alemães se empenham bastante em distanciarem-se dos seus primos falantes de iídiche, a maioria dos quais chegara no início do século, fugindo da pobreza e dos *pogrons*. Bem, por essa altura os judeus alemães — os judeus de Julia, se preferem — já estavam há muito estabelecidos. Tinham em Central Park Oeste a sua própria Quinta Avenida. Dispunham até do próprio clube, o Harmonie Club, em pleno coração de Manhattan e, mais significativamente, mesmo do outro lado da rua do Metropolitan Club, o seu gémeo gentio, do qual diferia apenas pela sua ausência conspícua de decorações natalícias em dezembro. Um judeu polaco tinha tantas possibilidades de entrar para o Harmonie Club quanto qualquer judeu para o Metropolitan Club — e isto era entendido como sendo esta a ordem natural das coisas. Porque de que outro modo poderia uma população imigrante provar a sua integração a não a ser através do exercício do poder de exclusão? Enquanto rapariga, Julia frequentava os bailes de debutantes de judeus alemães. Os seus irmãos participavam nas regatas dos judeus alemães no Hudson. E apesar de haver sempre outros debutes, outras regatas, dos quais eles estavam excluídos, e sabiam que estavam excluídos, os *seus* bailes, as *suas* regatas eram anunciados bem ao lado destes outros na página social do *New York Times*. Eram raros os exemplos de rebelião ou de anomalia na história da família. Um dos tios de Julia, um advogado acabado de sair de Harvard, matou-se no seu escritório com um tiro na cabeça numa manhã de inverno em 1903. Partiu-se do princípio de que ele era um homossexual não assumido. Outro ficou-se no Haiti, tentou organizar um golpe contra o presidente Hipólito e foi imediatamente deportado, após o que devotou a maior parte do resto da sua vida a processar o governo dos Estados Unidos. Por fim, havia a tia Rosalie. Antes da guerra, ela e o marido, o tio Edgar, partiram para França. A caminho, fariam uma paragem em Viena, onde Edgar, que sofria de diabetes, iria consultar um especialista, mas, a meio do Atlântico, ele entrou em coma e morreu. Foi sepultado no mar. Subsequentemente, assumiu-se que Rosalie regressaria a casa enlutada. Ao invés, ela instalou-se numa *villa* em Cannes e casou-se com um instrutor de ténis sueco. Tendo em vista o curso que a vida de Julia iria tomar, poder-se-ia pensar que ela olharia para a tia com admiração, mas, na realidade, desprezava-a e temia-a. Bem, talvez todos nós desprezemos e temamos aquelas pessoas cuja existência prova que não somos, como gostaríamos de acreditar, originais.

Como Harry, Julia era a filha mais nova. Quanto a mim, sou o filho mais velho. Por natureza, sou um glutão, impetuoso, indiferente ao sucesso terreno — o oposto de Harry, o qual é metódico, abstémio e empreendedor, bem como um altruísta estoico e desprovido de sentido de humor. Ao ouvi-lo falar, tudo o que ele alguma vez fez na sua vida foi não só pensando noutra pessoa como também exigiu de si que se privasse de um prazer, pequeno ou grande (embora, para ser franco, a única coisa em que ele tem realmente prazer, pelo menos que eu saiba, é na autoprivação). Isto é o que se passa frequentemente com o último filho. Ele sabe que é o fruto da meia-idade e do seu desencanto, e é por isso que há tão poucas fotografias dele em bebé e porque quando criança era deixado à sua própria mercê ou, pior, à mercê dos seus irmãos que o torturavam. O último filho (mais novo) tem de aprender a defender-se por si mesmo. Não tem outra hipótese. E o caso de Julia era ainda pior, porque ao fardo de ser a mais nova vinha juntar-se o de ser uma filha num mundo que favorecia os filhos. Daí a obstinação, o pessimismo, a tenacidade que eram os traços característicos do seu carácter.

Claro, quando a conheci não vi nada disto, pelo contrário, o que vi foi uma criatura simultaneamente efémera e nervosa, como aqueles veados minúsculos que por vezes assustamos nas florestas em Florida Keys. Na precisa noite em que nos conhecemos, ela pediu-me que a levasse para o meu quarto — e foi uma revelação. Durante toda a minha vida, percebi, tinha estado à procura, na ausência de um qualquer desejo ou objetivo prementes, de um propósito fora de mim mesmo no qual eu pudesse, por assim dizer, andar às cavalitas. Poderia ter sido uma religião, poderia ter sido um partido político, poderia ter sido uma coleção de instrumentos musicais feitos a partir de caixas de engraxar os sapatos. Em vez disso foi Julia. Eu adorava-a, desejava-a e, mesmo que ainda não a conhecesse — sim, e daí? É preciso conhecer verdadeiramente alguma coisa para sabermos que ela nos encanta? (Provavelmente, sim. Mas desejo-vos boa sorte para conseguirem convencer um jovem disso.) Claro, havia sinais a que eu poderia ter prestado atenção. Ela mentiu-me sobre a sua idade. Disse que tinha vinte e quatro anos, quando na verdade tinha vinte e nove — três anos mais velha do que eu. E também não tinha amigos, ou pelo menos nenhum que alguma vez me tivesse apresentado. Quanto à sua família, disse que os desprezava e que vivia com a mãe — apenas até conseguir pagar a sua própria casa. Eles eram broncos — enquanto ela valorizava a arte; tinha tido lições de pintura, de cerâmica e de canto; tinha feito uma tentativa de escrever um romance. Mas nenhuns dos quadros a satisfizeram, os seus vasos insistiam em cair da roda, e desistiu de cantar quando o professor lhe disse que tinha de deixar de fumar. Quanto ao romance, não conseguia deixar de rescrever o primeiro capítulo. Passado um ano, tinha gerado novecentas páginas, todas elas primeiros capítulos.

Agora tinha uma *idée fixe*, que era a de viver em Paris. Estava convencida de que apenas em Paris poderia o impulso artístico que em Nova Iorque falhara ganhar raízes e florescer. Perguntei-lhe quantas vezes tinha ido a Paris e ela disse que nunca lá havia estado. Ela e duas das irmãs tinham planeado uma viagem para o verão de 1914, mas a guerra interrompera-lhes os planos. (Ela nunca perdoou a guerra por isso.) Felizmente, tinha uma governanta francesa nessa altura, uma mulher jovem precocemente envelhecida que à noite lhe lia em voz alta *Les malheurs de Sophie*, da Condessa de Ségur, aquela obra pela qual, por motivos misteriosos, tantas rapariguinhas daquele período estavam fascinadas. Fora de Sophie, disse Julia, que ela coligira as suas primeiras noções de um eu francês, bem como a sua primeira convicção de que estava destinada a habitar em Paris — uma convicção que crescia à medida que ela crescia, e passou das desventuras de Sophie para as da Claudine de Colette, que a sua governanta desaprovava vigorosamente e que eram, por essa razão, tanto mais sedutoras. Tenho agora diante de mim o exemplar de Julia de *Claudine em Paris*. As páginas estão quebradiças e inchadas, pois ela tinha o hábito de ler enquanto tomava banho. Muitas passagens estão sublinhadas, incluindo esta:

«Estávamos sentados numa pequena mesa, encostada a uma coluna. À minha direita, sob um painel borrado intempestivamente com bacantes despidas, um espelho assegurava-me de que não tinha tinta na minha face, que o meu chapéu estava direito e que os meus olhos dançavam por cima de uma boca vermelha sequiosa, talvez um pouco febril. Renaud, sentado à minha frente, tinha as mãos trémulas e as têmporas húmidas.

Deixei escapar um pequeno gemido de cobiça, provocado pelo rasto aromático que um prato de camarões que tinha acabado de passar deixara no ar.»

Hoje pergunto-me o que seria mais forte em Julia — o desejo por Renaud ou pelos camarões. Suspeito que pelos camarões. Porque se ela tivesse querido um francês, acredito verdadeiramente que poderia ter encontrado um. Teria possivelmente de esperar um pouco, mas podia ter encontrado um. O problema era que o francês teria pedido mais dela e dado menos em troca. Podia tê-la enganado. Podia ter interferido com o êxtase dos camarões. Não pretendo sugerir que Julia era venal: apenas que, como a maioria dos filhos mais novos, era muito pragmática. O que ela precisava era de um marido que estivesse suficientemente sob o seu jugo para fazer tudo o que estivesse ao seu alcance para a fazer feliz, mas que fosse suficientemente preguiçoso para se poder contar com a sua lealdade. E eu satisfazia na perfeição as exigências.

E assim ficámos noivos. Ela surpreendeu-me com a ideia de nos mudarmos para Paris e eu não me mostrei nada avesso à ideia. Pelo contrário, o seu desejo apaixonado despertou um desejo igualmente apaixonado em mim — o desejo de satisfazer o seu desejo. Pois eu jamais na vida me tinha deparado com uma vontade tão tenaz ou com um desejo tão intenso quanto o de Julia. Talvez gurus inspirem nos seus discípulos um sentimento semelhante a este, o sentimento que uma mulher determinada pode estimular num homem cuja capacidade para a paixão, embora seja grande, não tem um fito ou objetivo específicos onde se realizar. Por este motivo, escrevi a Harry a perguntar-lhe se ele conseguiria encontrar-me um emprego nos escritórios da General Motors em Paris ou num salão de automóveis em Paris. Bastante compreensivelmente, respondeu com desconfiança. Havia alguma mulher envolvida?, pretendia saber. Eu respondi que havia uma, ao que ele apanhou o primeiro comboio de Detroit para Nova Iorque a fim de investigar. O jantar que nós os três tivemos não foi, como podem imaginar, um enorme sucesso. Julia e Harry devem ter reconhecido no outro o filho mais novo, pois olharam-se imediatamente com desconfiança. Ele fez-lhe uma série de perguntas que eu nunca teria tido a audácia ou a grosseria suficientes para lhe fazer e, no decorrer das perguntas, compeliu-a a divulgar dois factos que até então ela conseguira manter desconhecidos de mim. Primeiro, era judia. Segundo, era divorciada. Que ela era judia, não me surpreendeu. Já o tinha adivinhado. Que era divorciada, tenho de admitir, foi algo como que um golpe para mim. Depois de pormos Harry num táxi, fizemos uma cena e correram lágrimas. Ela afirmou que não quis dizer-me que era judia no caso de eu ter algumas reservas religiosas e que não quis dizer-me nada sobre o seu primeiro marido no caso de ficar com menos consideração por ela por ser divorciada. Tinha acontecido há muito tempo, quando ela era muito jovem. Chamava-se Valentine Breslau. Não se tinham amado. A união tinha-lhes sido imposta pelos pais de ambos, que desejavam consolidar uma aliança de negócios entre as famílias. Valentine tinha-lhe prometido levá-la a Paris na lua de mel. Ao contrário, levou-a para os Poconos. Fez-lhe exigências «repugnantes» e, quando ela se recusou a satisfazê-las, ele virou-se para prostitutas. Durante seis meses suportou a sua bestialidade até que, por fim, não conseguiu aguentar mais, regressando para os seus pais. Ele implorou-lhe que voltasse. Ela recusou. Os pais dela imploraram-lhe que voltasse. Ela fez ouvidos moucos. O pai, disse ela, foi um «monstro» mais preocupado com a sociedade do negócio que o divórcio ameaçava transtornar do que com o bem-estar da própria filha. Pouco depois, ele teve um ataque de coração e morreu. Ao contar-me isto, Julia teve um ataque de choro. Abracei-a e prometi que faria tudo para que as coisas corressem bem, mesmo com a mãe dela. Julia estava convencida de que a mãe tinha poderes psíquicos. Conseguia ler os pensamentos de Julia. Como exemplo, Julia contou a história seguinte: numa certa tarde, pouco depois do divórcio, ela e a Senhora Loewi tiveram uma discussão acesa e, quando esta terminou, Julia abandonou o apartamento dos pais, jurando nunca mais regressar. Andou de táxi às voltas pela cidade durante algumas horas. Depois decidiu dar entrada num hotel. Agora, o hotel em causa, assegurou-me, não era nenhum hotel famoso, e sabe Deus os milhares de hotéis que há em Nova Iorque. No entanto, de algum modo, o gerente estava à sua espera, sabia o seu nome, e disse-lhe que não tinha quartos disponíveis. Horrorizada, fugiu até outro hotel — e também ali o gerente estava à sua espera, sabia o seu nome e disse-lhe que não tinha quartos disponíveis.

Julia interpretou o episódio do seguinte modo: a mãe, tendo previsto quais seriam os hotéis onde ela iria tentar ficar — tendo previsto isto até mesmo antes de Julia saber quais seriam — telefonara a avisar os gerentes de que a sua filha estava a caminho e de que ela não fazia tenções de pagar a conta.

Eu ri. Sugeri que isso era ridículo.

Julia não estava divertida.

— Talvez ela contrate espiões — disse eu.

— Ela não precisa — disse Julia.

Tomei a decisão de ir encontrar-me com a mãe dela. Diria à Senhora Loewi que planeava casar-me com sua filha a todo o custo. Mesmo sem a bênção da família, eu iria casar-me com ela. Mesmo se a deserdassem, eu iria casar-me com ela. Não contei nada a Julia sobre este plano. Sabia que tentaria deter-me. No apartamento dos Loewis, um empregado idoso levou-me até à sala de jantar. Embora a sala estivesse virada para o Central Park, as cortinas estavam corridas, como se para provar que uma vista daquelas era algo que a família podia dar-se ao luxo de ignorar. A mesa era comprida, com cadeiras trabalhadas e desconfortáveis. A Senhora Loewi estava à minha espera. Pareceu-me uma senhora extremamente antiquada, com maneiras e roupas que pareciam do século passado. Sentou-se na cabeceira da mesa. Sentei-me à sua direita. Bebemos chá. Durante todo o meu discurso, manteve as mãos rechonchudas à sua frente. A cara dela estava impassível. Por fim, parei de falar. Decorreram uns escassos segundos e ela proferiu então esta única frase clara: — Peço-lhe que reconsidere. — Foi tudo. A sua voz era mais aguda do que estava à espera, menos poderosa, mais infantil. Esperei por alguma coisa mais. Nada veio. Fiquei perplexo. Tinha contado com objeções, ameaças, pelo menos com a oferta de um suborno que eu iria recusar galantemente — em vez disso, eis esta única e breve advertência, proferida com frieza, como se tivesse sido inspirada por um sentimento de dever. Por fim, levantei-me. Ela levantou-se também. De pé, era ainda mais baixa do que Julia, embora mais corpulenta. Talvez chegasse à altura do meu cotovelo. Conduziu-me até à porta, onde me apertou a mão. Pela primeira e única vez olhei-a nos olhos. E o que vi ali? Compaixão. Alívio. Uma ponta de astúcia.

No vestíbulo, chamei o elevador. No caminho para baixo, o encarregado lançou-me um olhar que eu considerei impertinente. No átrio, o porteiro, tendo-me conduzido até à porta giratória, empurrou-a com tamanha força que fui aos tropeções até ao outro lado. Teria caído se não fosse um transeunte ter-me segurado. Tinha a certeza de que fora intencional. Contudo, não voltei para dentro a fim de dar um murro nos queixos ao porteiro. Ao contrário, apressei-me a ir-me embora dali. Dirigi-me para sul, em direção ao meu próprio apartamento, onde Julia me aguardava.

Foi então que, pela primeira e única vez, duvidei da minha futura mulher. Duvidei com tanta força que fiquei assustado — o que quero dizer é que foi a *dúvida* que me assustou, não o pensamento que a impulsionara: que ela podia ser uma mentirosa e uma fraude. Porque nunca é uma questão dos factos, pois não? É sempre por causa da dúvida... E assim preferimos ignorar qualquer eventual sinal de aviso, não importa quão evidente, a deixar que alguma coisa interfira naquilo que pretendemos — o que faz de nós todos mentirosos e aldrabões...

Cheguei ao apartamento — e ali estava ela, a minha Julia, animada na sua ira e temor, preparando-se para o pior. Fosse por que motivo fosse — talvez pelo porteiro ou pelo empregado — ela descobrira o que eu tinha feito. — Que mentiras é que ela te contou sobre mim? — perguntou-me. Em resposta, fechei-lhe a boca com os meus lábios. Assegurei-lhe que não tinha importância, que tudo iria correr bem. Por esta altura, Harry já tinha conseguido obter-me o posto em Paris — sem depositar muita confiança, deixou claro. Não confiava em Julia. «Ela irritava-o», afirmou. Tão-pouco deveria eu pensar que o emprego em Paris seria tarefa fácil. Eu iria estar à experiência. O meu patrão de lá comunicaria diretamente a Harry os meus progressos. Harry tinha «cobrado bastantes favores» para me conseguir este emprego, avisou-me, e, se eu falhasse, seria ele a sofrer as consequências. O destino do meu irmão mais novo estava nas minhas mãos — tal como o meu destino estava nas dele. «E não é que eu não gostasse também de me ir embora e de viver em Paris», acrescentou, «mas alguém tem de ficar a tomar conta da pobre Mamã.» Uns dias mais tarde, eu e Julia casámo-nos num registo civil. Na manhã seguinte partimos para França a abordo do *Aquitânia*. Foi do navio que ela enviou à família o famoso telegrama em que jurava nunca mais voltar a pisar o solo americano.

Gostaria de poder dizer que Paris esteve à altura das expectativas de Julia. Mas infelizmente não esteve — e talvez nunca esteja, para aqueles que têm expectativas sobre aquela cidade. Eu próprio não tinha quaisquer expectativas em relação ao lugar e por isso senti-me feliz ali. Gostava do meu emprego. Os carros interessavam-me, tal como as peculiaridades de gerir um escritório americano numa cidade europeia, assunto sobre o qual, brincava eu, podia, e deveria, escrever um livro. Croissants pela manhã, bife *au poivre* ao almoço, um copo de *cointreau* após o trabalho, antes de me dirigir para casa, para Julia, a minha Julia, bela e ardente e instável pelo desassossego. Afinal de contas, ela não cumpriu o seu destino artístico. Em vez disso, tinha-se tornado uma mulher da moda, ociosa e um pouco vaidosa, que passava os dias a passear pelas *boutiques*, lendo a *Vogue* e consultando decoradores de interiores num esforço incessante para alinhar o nosso apartamento com as suas fantasias de juventude. Nem uma única vez, durante todos os anos do nosso casamento, ela olhou sequer para outro homem, posso assegurar-vos, embora muitos olhassem para ela. Antes pelo contrário, era até um pouco arrogante. Devotava uma parte imoderada do seu tempo a jogar paciências. Agora vejo que toda a sua energia era dirigida apenas para começar as coisas. Só conseguia escrever primeiros capítulos. O meio, o vasto meio, ultrapassava-a. Nem a sua família, apesar da enorme distância, estava realmente longe dela. Encontrava-os constantemente em cafés e em restaurantes e nas ruas. Podíamos estar sentados numa mesa do Café de la Paix numa tarde ensolarada de domingo. Eu levantava os olhos da ementa e repentinamente ela já não lá estava. Evaporara-se. Quando regressava alguns minutos mais tarde, estava com os óculos escuros postos. «Aquela que está ali é a tia Sophie», sussurrava. Ou: «Aquele é o primo Hugo». Ou «Aquela é a tia Louise, deve estar cá de férias», o que seria a deixa para que eu pedisse a conta, quer tivéssemos comido ou não... Não faço ideia se alguns destes fantasmas eram de facto as pessoas que Julia julgava serem. Não obstante, sempre acedi a Julia. E como podia não o fazer? Se ela, mal os avistava, ficava genuinamente pálida e depois, já no táxi, o coração batia tão fortemente que eu conseguia senti-lo... queria fazê-la feliz — fazê-la feliz era a minha vocação, e eram mais as vezes em que eu era bem-sucedido do que as em que não era. Ou então assim achava eu. Claro, era um tonto. Autocomplacente na minha capacidade de providenciar, masculamente satisfeito por satisfazer todos os seus desejos, não consegui ver o que era óbvio até para ela: aqueles desejos eram espuma; a sua satisfação era espuma — até que chegou uma manhã em que acordei e percebi que o peso de tomar conta dela estava a sugar-me a vida. Tinha-me tornado o meu irmão.

5

ANTES DO JANTAR FUI ATÉ À BERTRAND, a livraria que fica na Rua Garrett. Queria ver se tinham alguns exemplares dos livros de Xavier Legrand, e de facto tinham. Aquele que comprei chamava-se *A Saída Nobre*. De acordo com a capa, contava a história de um político francês que, na véspera da sua prisão pelo assassínio do seu chantagista, é encontrado morto no escritório, aparentemente um suicídio. O caso parece estar encerrado, como dizem, até ao momento em que o herói do romance, o inspetor Voss da *sûreté* de Paris, entra em cena e levanta dúvidas não só quanto ao político se ter realmente matado como também quanto ao seu chantagista. E assim o bom inspetor tem agora dois assassínios, não um, em mãos.

Levei o livro comigo para a Suíça naquela noite. Pensava talvez pedir a Edward para o autografar. Mal o vi, contudo, fiquei com dúvidas se seria uma boa ideia e abotoei o bolso do casaco onde o livro estava guardado. Os Frelengs já tinham posicionado estrategicamente uma mesa em cima do passeio. Quando nos aproximámos, Edward levantou-se e acenou. Desde o nosso último encontro, barbeara-se — tinha dois pequenos cortes no rosto — enquanto Iris tinha tirado a rede e prendido o cabelo num nó solto. Por qualquer motivo, tinha ficado com a impressão de que o cabelo dela era castanho. Na realidade, era de um vermelho lustroso. Trazia vestidas uma saia comprida rodada e uma blusa de renda que lhe conferia uma espécie de ar de poetisa eduardiana. Tanto quanto pude aperceber-me, não usava maquilhagem, e temi que isso pudesse constranger Julia. Apesar da sua relutância inicial, Julia tinha acabado por não se controlar e comprara um novo vestido preto. Estava com as suas pérolas. Trazia calçado o único par de sapatos que tinha posto de lado durante a longa viagem de Paris para o caso de surgir alguma ocasião que exigisse sapatos imaculados. A pele brilhava com loção, como se tivesse sido polida.

Mal nos sentámos, *Daisy*, que estava aos pés de Edward, ergueu-se com custo e, soltando um gemido, foi aos tropeções até Julia e começou a lamber-lhe o tornozelo.

— *Daisy*, por favor — disse Edward.

— Tem de a desculpar — disse Iris. — Hoje em dia ela lambe tudo. Sapatos, cobertores, meias sujas.

— É verdade — disse Edward. — Até quando está a subir as escadas, ela lambe cada lance antes de pisar, penso que para se certificar de que ele é real.

— *Daisy*, basta, vá, deixa a Julia em paz — disse Iris.

— Não tem importância — disse Julia, baixando-se para afagar a cabeça de *Daisy*... e para a afastar.

— Nunca estivemos em Pyla — disse eu. — Como é que é?

— É uma típica pequena aldeia de pescadores — disse Edward. — Com uns quantos hotéis que, mais para o fim, estavam cheios de belgas.

— Para eles, era o sítio certo para *onde* fugir — disse Iris.

— E a vossa casa? — perguntou Julia.

— Rústica. Uma lareira sempre acesa durante o inverno.

— Foi por causa da *Daisy* que nos mudámos para lá — disse Edward. — Ela passou a juventude inteira em hotéis, sem nenhum sítio onde pudesse correr, exceto a descer e a subir as escadas, perseguida pelas empregadas. E por isso achámos que na sua velhice merecia fazer as coisas para as quais tinha sido criada: arrancar as toupeiras dos seus buracos, rebolar-se nas carcaças de peixes mortos.

— *Daisy* tem um gosto particular por peixe morto — disse Iris. — Todas as tardes, Eddie levava-a para um passeio na praia e se estava à vista algum peixe morto podíamos apostar em como ela iria direita a ele.

— A sério?

— E tínhamos uma cozinheira maravilhosa, a Celeste, que fazia toda a espécie de pratos especiais para ela, e depois vinha ter comigo ressentida e dizia, queixando-se: «*Madame, j'ai préparé pour le chien un ragout de boeuf, eh bien, il va dans le jardin manger les crottes de chat. Comme si c'était des bonbons!*»[1]

— Posso pô-la no meu colo? — perguntei.

— Que boa ideia! — disse Julia.

Levantei a cadela do chão, o que permitiu a Julia pôr de novo as pernas debaixo da cadeira. Agora o focinho de *Daisy* estava apenas a poucos centímetros da minha cara. Os seus olhos estavam enublados, os dentes de um amarelo acastanhado. Muito pouco queixosa, sem se fazer rogar, deu duas voltas, enroscou-se em forma de bola e adormeceu.

Tão sub-repticiamente quanto pôde, Julia mergulhou o guardanapo no seu copo de água e levou-o ao tornozelo que Daisy tinha estado a lamber.

— E vocês — disse Iris —, onde viveram em Paris?

Julia pestanejou com o pretérito.

— No décimo sexto. Na Rue de la Pompe.

---

[1] «Minha senhora, preparei para o cão um guisado de carne de vaca, pois bem, ele vai ao jardim comer as caganitas do gato. Como se fossem bombons!» *(N. da T.)*

— Oh, conheço essa zona. Tão... burguesa. Como era o vosso apartamento?

— Bem, é tipicamente parisiense. *Parquet, moulure, cheminée*, como eles dizem.

— Acabámos de o redecorar — disse eu.

— A decoração original era Império — disse Julia. — Elegante, mas pesada. Mas depois conheci este decorador maravilhoso, um génio, na verdade, e agora já quase não conseguimos reconhecer o lugar.

— Ah sim? O que é que ele fez?

— Primeiro, tirou o papel de parede e pintou as paredes de branco. Depois lixou os apainelados de madeira até ficarem praticamente em bruto. Em seguida, onde costumava estar um grande Aubusson, pôs um tapete de lã liso, e à frente da lareira, um sofá de pele branco e um par de poltronas quadradas com braços em cabedal e uma mesa em *peau de chagrin*...

— O que é *peau de chagrin*? — perguntou Edward.

— Pele de peixe — disse eu.

— Pele de tubarão — corrigiu Julia. — E ainda umas peças Luís XV para completar. E nada nas paredes. Absolutamente nada. É a sua assinatura.

— E um biombo para esconder o piano — disse eu. — Não sei o que ele tem contra pianos.

— Se calhar a mãe forçava-o a tocar Brahms — disse Edward.

— As obras foram tão profundas que tivemos de nos mudar para um hotel durante dois meses — disse Julia. — Só em novembro passado é que terminaram. — Ela secou os olhos com a ponta do guardanapo.

— Foi fotografado — disse eu. — Podem ver as fotografias na *Vogue*. A *Vogue* americana. A edição de fevereiro.

— A edição de março.

— A sério? — disse Iris. — Deve ter sido de partir o coração deixá-lo.

— Oh, foi sim! — disse Julia.

— Ficou alguém a tomar conta do sítio? — perguntou Edward.

— A nossa porteira.

— Se ela ainda estiver em Paris — disse eu. — Eu diria que por esta altura já terá partido.

— É claro que não saiu de Paris — disse Julia. — Nem toda a gente saiu de Paris. Alguns franceses sentem que é o seu dever patriótico ficarem.

— E o vosso decorador?

— Espero que, para seu bem, ele tenha saído de Paris — disse eu —, uma vez que é judeu e... — Eu estava prestes a dizer «maricas», mas mudei de ideias. — Mas ainda não o vimos aqui em Lisboa, o que me faz temer que não tenha conseguido sair.

— Jean tem amigos em Marselha — disse Julia. — Provavelmente, foi ter com eles.

— Ou pode estar em Portugal, mas preso, em *résidence forcée* — disse Edward. — Esse tipo, um jornalista, do *Chicago Tribune*, penso, estava a falar sobre isso.

De acordo com esse tipo, um jornalista, prosseguiu Edward, a polícia política portuguesa tinha, desde há dois dias, interrompido o serviço regular de comboio entre Vilar Formoso, na fronteira com Espanha, e Lisboa. Agora só estavam a deixar passar para a capital cidadãos britânicos e americanos, sendo as únicas exceções a esta regra aqueles que tinham não só vistos válidos para países não europeus *mas também* bilhetes de navios com partida para África ou para as Américas.

— Dos quais poderia haver quando muito cinco pessoas.

— E os outros?

— É aí que entra em campo a *résidence forcée*. Basicamente, é isto: são estâncias balneares ou termas, lugares onde existem vários hotéis que em condições normais estariam cheios, mas que não estão por causa da guerra. E eles não têm autorização para sair.

— *Résidence forcée* — disse Iris zombeteiramente. — É só um nome elegante para campo de concentração.

— Se pensarmos bem nisso, é um golpe de génio da parte de Salazar — disse Edward. — Porque, se na verdade os enfiasse em campos de concentração, ele teria de pagar a fatura, enquanto desta forma são *eles* que têm de pagar a fatura.

— Mas, se não podem deslocar-se até Lisboa, como é que podem ir ao consulado para obterem os vistos e *poderem* ir embora?

— Precisamente. É esse o problema. E há muitos mais do que aqueles que conseguirão realmente obter os seus vistos...

— O senhor tem razão — disse um homem idoso e careca, sentado na mesa ao lado. — Foi-me recusado hoje o visto. E à minha mulher também.

— Ah, sim? — perguntou Edward.

O senhor idoso acenou. Era muito magro e tinha vestido um fato de qualidade que claramente não era mandado limpar há várias semanas. Estava acompanhado de uma mulher de estatura pequena e de porte majestoso. Tinha diamantes gigantescos nas orelhas, um casaco de peles pendurado nas costas da cadeira.

— Caro senhor, nós vimos de Antuérpia — disse o senhor idoso. — Sou, de profissão, como se diz, *comptable*. Embora nascido na Letónia, eu e a minha mulher vivemos vinte anos na Bélgica. Somos naturalizados cidadãos belgas há quinze anos. Os nossos filhos são belgas, os nossos rapazes alistaram-se no exército belga. Ora bem, quando as primeiras bombas começaram a cair, não tivemos outra escolha a não ser partir. Fomos de carro desde a fronteira até Paris, de Paris para Bordéus, como toda a gente, com um colchão amarrado no tejadilho. Mas de que serve, caro senhor, um colchão? Por toda a parte, ao longo da estrada, o que vemos senão carros com janelas partidas, repletos de corpos, e nos seus tejadilhos colchões em perfeito estado? Qualquer pessoa podia dormir naqueles colchões.

»E depois em Bordéus, por fim, obtivemos os vistos. Atravessámos a fronteira para Espanha, atravessámos Espanha, pensando, durante todo o caminho, em Lisboa, a nossa esperança. Lisboa, sim, porto de liberdade. Finalmente chegámos, e o que encontrámos? Liberdade? Pff! Uma miragem! Uma mentira! O cônsul americano diz: «Bem, Fischbein, e agora preciso de cinco cópias do pedido do visto, duas cópias do certificado de nascimento, uma cópia autenticada da declaração de imposto, e o mesmo para a madame.» «Mas, meu senhor», digo-lhe, «quando os alemães chegaram, tivemos duas horas, não nos ocorreu trazer a declaração de imposto». «Ah, bom, lamento, Fischbein», diz ele. «Ah, e tem também de trazer um papel do seu banco comprovando como tem fundos suficientes e cartas de dois fiadores nos Estados Unidos.» «Mas isso é impossível», digo eu. «O banco está tomado pelos alemães, a nossa conta está confiscada, o meu negócio está confiscado.» «Ah, bom, lamento isso, a sério», diz ele, «mas não está nas minhas mãos, esta é a lei dos Estados Unidos». «Sim, bem, a lei da paz, mas agora é tempo de guerra, tem de alterar a lei.» «Mas, meu senhor», diz ele, «existem quotas para cada país, para a Bélgica a quota é de quatrocentas e noventa e duas.» Quatrocentas e noventa e duas, sim, quando para Inglaterra a quota é de 34 007.

— Donde retirou esses números? — perguntou Edward.

— Fiz eu próprio o cálculo. — Tirou do bolso do casaco um pedaço de papel de carta fino e transparente com o monograma da Suíça. — Veja, meu senhor, de acordo com o seu próprio departamento de Estado, a quota de emigração para cada país europeu deve ter em conta o rácio dos cidadãos com naturalidade americana nascidos nesse país como determinado pelo censo de 1920 e calcular para 150 000. E assim eu calculei...

Subitamente, a Madame Fischbein ergueu ao céu as mãos em desespero.

— Abel, por que perdes o teu tempo? — exclamou ela. — Não consegues ver o que está diante dos teus próprios olhos? Eles não nos querem, ninguém nos quer, somos *les ordures*, o máximo que poderemos esperar é que nos ponham numa barcaça de lixo e nos enviem para, Deus sabe onde, para a Terre de Feu.

— Mas isso não está certo.

— Desde quando o certo conta para alguma coisa? — Voltou-se para Edward. — Meu senhor, tenho de lhe pedir desculpa pelo meu marido. Ele não consegue tolerar a realidade, vive num sonho. Não um sonho agradável, um sonho com contas, números, o dia inteiro a fazer a sua aritmética, uma e outra vez, é uma espécie de loucura. Qual a quota aqui, qual a quota acolá. Peço que nos perdoem. Abel, temos de ir.

Madame Fischbein levantou-se majestosamente. Ostentava enormes quantidades de joias: três ou quatro fiadas de pérolas à volta do pescoço, meia dúzia de pulseiras em cada um dos pulsos, anéis de ouro em cada um dos dedos.

— Pobrezinhos — disse Iris, depois de eles terem desaparecido. — Ela deve estar a usar todas as joias que possui.

— Provavelmente, foi tudo com que conseguiram escapar — disse eu.

— É como nos tempos idos, em que os mortos eram enterrados com moedas debaixo da língua — disse Edward —, para assim poderem pagar a Caronte a sua travessia do Estige.

6

O LEITOR PODERÁ TER OBSERVADO que, para a conversa acima registada, a minha mulher não contribuiu com uma única palavra. Posso assegurar-lhe todavia que ela estava a escutar. Podia constatá-lo pelo modo como percorria com os dedos as suas pérolas, como se fossem contas *kompoloi.*

Entre todos os argumentos que eu tinha apresentado contra a sua permanência na Europa, aquele que ela tivera maiores dificuldades em refutar fora o de que ela era judia. Tinha sido sempre sensível neste aspeto — e não por ser antissemita. Isto é, ela não guardava nenhum ódio secreto ou explícito à sua raça ou a si mesma por ser membro dela. E, no entanto, penso que via a sua qualidade de judia como um fardo pelo qual teria pagado um preço elevado para se ver livre. Isto acontece frequentemente com aqueles aspetos da nossa identidade que nada interessam para nós, pessoalmente, mas que significam bastante para aqueles com quem temos negócios a tratar de modo a conseguirmos viver neste mundo. Poderia ter sido diferente se ela possuísse algo semelhante a um sentimento religioso, ou se tivesse tido outra experiência pessoal de perseguição antissemita a não ser a de saber que os pais, caso tivessem desejado alugar um apartamento na Quinta Avenida, ter-lhes-ia sido recusado de forma grosseira. Mas os pais nunca tinham tentado alugar um apartamento na Quinta Avenida — e este é o ponto crucial. Não era próprio dos Loewis provocar problemas. Era próprio dos Loewis navegar à volta do problema, ou ignorá-lo, ou ambos.

Paris, claro, era outra história. Era impossível viver em Paris naqueles anos sem estar consciente do ódio profundo e arreigado que tantos franceses sentiam pelos próprios judeus e, mais intenso ainda, pelos judeus estrangeiros. Na esteira do caso Dreyfus, este ódio tinha entrado em clandestinidade durante algum tempo para reemergir, de início de forma cautelosa, no seguimento da ascensão de Hitler ao poder. Tal ódio fazia sentir-se mais como uma ameaça insidiosa e indistinta do que como um perigo imediato. Logo em meados dos anos trinta, a nossa porteira, a Madame Foucheaux, de quem, aliás, tanto gostávamos e a quem teríamos confiado as nossas vidas, era vista muitas vezes sentada na sua pequena gaiola de vidro fora do vestíbulo lendo *Je suis partout* e *Gringoire* à luz amarelada de um candeeiro de teto. O seu filho Jean-Paul, que vivia com ela, subscrevia as duas publicações, oferecendo à velha senhora as edições antigas que já não queria. Embora fosse um fascista convicto, Jean-Paul era extremamente educado connosco, tirava sempre o boné quando via Julia, ajudando-a com os sacos. Deduzi disto que não fazia ideia de que ela fosse judia. Além do mais, tínhamos diversos vizinhos no prédio que *eram* obviamente judeus e a quem Jean-Paul se recusava sequer a reconhecê-los publicamente. Na porta de um destes vizinhos, um médico austríaco e a mulher, foram rabiscadas suásticas e calúnias difamatórias em três ocasiões diferentes no ano de 1938. Nenhum de nós duvidou um minuto sequer de quem era o responsável por tal vandalismo — nem mesmo, penso eu, a pobre Madame Foucheaux que abanou a cabeça e chorou. Contudo, ninguém disse ou fez o que quer que fosse e, quando o casal acabou por se mudar, e Jean-Paul, passando por nós no corredor, tirou o boné em saudação a Julia, como sempre, e murmurou algo parecido com «Vai e não voltes», ela ou não entendeu as suas palavras ou fingiu que não as entendeu.

Penso que era intensamente frustrante para a minha mulher não poder simplesmente livrar-se da sua qualidade de judia, como fizera com a sua vida de Nova Iorque, ou como poderia fazer com um vestido que saíra de moda. Nisto ela assemelhava-se aos muitos judeus burgueses franceses que, porque olhavam para si mesmos como sendo em primeiro lugar franceses e judeus em segundo, cometeram o erro de presumir que a França iria olhá-los da mesma maneira. A França, porém, não olhou assim para eles — nem tão-pouco, já agora, os próprios Estados Unidos. Mais tarde, vim a saber que, quando o decorador de Julia, Jean, chegou a Nova Iorque vindo de Buenos Aires nos finais de 1940, o agente de imigração riscou «Francês» no manifesto do passageiro e escreveu a lápis por cima: «Hebreu». Graças a Deus que Julia nunca teve de passar por semelhante coisa. Teria sido a sua morte.

Raras vezes, ou mesmo nunca, falava sobre os seus familiares na Alemanha. Não sei até que ponto sabia alguma coisa sobre eles. Visto que a sua família era tão unida, não acredito que ela não soubesse da sua existência ou que não se sentisse minimamente preocupada com a sua situação difícil. No entanto, se assim era, nunca o deixou transparecer — penso que talvez fosse porque falar dos seus familiares na Alemanha teria sido reconhecer a ameaça alemã de uma forma que minaria os seus argumentos para permanecer na Europa. É verdadeiramente surpreendente a capacidade humana para a ilusão — da qual, como qualquer outra pessoa, não estou imune — quer quando se trata de uma coisa a perder, quer quando se trata de uma coisa a ganhar. E é possível que esta capacidade seja uma coisa boa, uma coisa necessária, um talento que devemos cultivar para sobreviver — até que chega o momento em que ela nos mata. De qualquer modo, conhecia bem a minha mulher e por isso sabia que o seu silêncio durante a nossa conversa com os Fischbeins era um silêncio de atenção concentrada e de terror, e que, apenas para ter conseguido continuar sentada no decorrer da conversa sem dar um pulo ou gritar, ela se tinha visto forçada a deitar mão a todas as reservas de boas maneiras que a governanta lhe instilara na sua juventude, e que o esforço fora grande.

E depois Edward esticou os braços, disse que devíamos pensar em ir embora e pediu a conta. À maneira típica dos homens americanos, competimos para ver quem ficava com ela. Venceu ele, o que revela o quanto me apanhou desprevenido, pois, em questões de batalhas pelas contas, não costumo ser displicente.

— Vou levar-vos a um restaurantezinho maravilhoso que descobri — disse ele enquanto atravessávamos o Rossio. — Chama-se Farta Brutos. A sério, é como se chama.

— O sentido é aquilo que parece ser? — perguntei.

— A tradução literal seria alguma coisa como «o bruto satisfeito» — esclareceu ele. — Pensem no Bluto do *Popeye*.

— A comida não é propriamente requintada — disse Iris. — Mas é autêntica!

— Parece muito bem — disse Julia, num tom de voz que traía o seu desapontamento. Gambrinus, o restaurante favorito dos refugiados mais abastados, adequava-se mais ao seu gosto. Quando lá fomos, umas noites atrás, Cartier estava na mesa ao lado.

— Fico contente por ouvi-lo — disse Edward. — Não tenho paciência para as ratoeiras para turistas. — Depois pôs o braço à volta dos ombros de Julia. Ela retraiu-se. Aceleraram o passo até ficarem cerca de três metros à frente de Iris e de mim. Nem eu podia apressar-me para os apanhar sem deixar Iris, que estava encarregada de *Daisy* e tinha de parar quase a cada segundo, enquanto a cadela farejava pontos húmidos no passeio.

— A sua mulher é tão bonita — disse Iris. — Tão... *petite*. Quando eu era nova, daria tudo para ter aquele tamanho. Sabe, dei o pulo cedo. Quando tinha quinze anos já tinha um metro e oitenta. As raparigas da minha escola (boas almas, não haja dúvida!), chamavam-me «Cegonha». Para compensar, comecei a inclinar-me para a frente e agora tenho a agradecer-lhes uma curvatura permanente na coluna.

— Mas isso é horrível.

— Oh, há coisas piores do que uma má postura. Além disso, quando estou com Edward não o sinto tanto. Apesar de que, com outros homens, é possível que a minha autoconsciência os faça sentir autoconscientes. Atingidos na sua masculinidade. Como você, por exemplo.

— Eu? Não me sinto atingido na minha masculinidade.

— Então, porque não pôs o seu braço à minha volta como Edward fez a Julia? Admita-o. É porque me acha intimidadora. Mas não se preocupe. Não quero realmente que ponha o braço à minha volta.

— Está bem.

— Esta história dos casais a trocarem de parceiros quando passeiam, acho-a cansativa. Repare como ele se inclina sobre ela! Imagino que esteja a encantá-la. Tem um jeito especial com as mulheres. Ah, sabe o que me disse na primeira noite que passámos juntos? Disse: «Gostava de te pintar na pose da *Madona do Pescoço Comprido* de Parmigianino.»

— A sério?

— Pergunto-lhe como poderia eu ter-lhe resistido depois disso? Jamais alguém me tinha comparado a um quadro. E por isso casei-me com ele.

O fosso entre eu e Iris e Edward e Julia tinha agora aumentado. Do outro lado do fosso, ouviu-se a gargalhada de Edward, chegando até nós entrecortada. Julia caminhava rigidamente. O que estaria ele a dizer-lhe?

Estávamos a caminho do Elevador de Santa Justa, o qual, embora estivesse localizado praticamente ao lado do nosso hotel e fosse considerado uma das maiores atrações de Lisboa, nem Julia nem eu tínhamos ainda utilizado — uma entre as muitas outras coisas que não tínhamos feito durante a nossa semana na cidade e que os Frelengs, nas suas setenta e duas horas, já tinham feito. A primeira vez que vi o Elevador, pensei que fosse uma torre medieval. Tinha um telhado ameado. Parecia até inclinar-se — uma ilusão de ótica, viria em breve a descobrir, produzida pela absoluta verticalidade da cidade, pelo modo como os edifícios parecem oscilar, agarrados aos seus poleiros. Praticamente nada em Lisboa é horizontal; além disso as colinas são íngremes, o que explica a necessidade dos chamados elevadores, a maioria dos quais é na verdade funicular, estendendo-se como artérias através das ramificações das estreitas ruas que trepam pelas encostas afora. Com efeito, o Elevador de Santa Justa é o único entre estes a que se pode chamar verdadeiramente elevador. O revestimento de metal através do qual as cabinas sobem eleva-se a 45 metros de altura.

— Não é de admirar — afirmou Edward, mal o nosso pequeno grupo se reuniu — que o arquiteto que o construiu tenha estudado com Eiffel.

— Por falar no Eiffel — disse Iris —, ouviram comentar sobre o que se passou quando Hitler marchou para Paris? Ele queria subir no elevador até ao cimo da Torre Eiffel, mas os operadores cortaram os cabos elétricos.

— Fizeram bem — disse eu.

— E ele ficou lá somente uma noite. Suponho que Paris era demasiado rica para o seu gosto.

Entrámos na primeira das cabinas do elevador. Tinha painéis em carvalho polido e havia sido fabricada, assim nos informava uma placa em latão, por R. Waygood & Co., Engineers of London.

— Mais uma prova do elo duradouro entre Inglaterra e Portugal — disse Edward, fazendo uma pirueta para escapar ao emaranhado da coleira de *Daisy*. — A aliança em vigor mais antiga da Europa, o que é provavelmente a única razão por que eles estão a deixar entrar os ingleses em Lisboa em vez de os enviarem para *résidence forcée*.

— E os americanos? — quis saber Julia.

— A América é neutra, por isso não há problema, está perdoada.

— Por falar em Inglaterra — *por falar em*, tinha descoberto, era uma das locuções prediletas de Iris, uma vez que lhe permitia mudar de assunto a seu bel-prazer —, o duque de Kent está cá. Vai ser o convidado de honra na inauguração da Exposição de Salazar, onde também estarão presentes delegações da França *e* da Alemanha.

— Deixem que Salazar tratará de pôr esses três a comer da mesma gamela — disse Edward.

— Um outro sítio onde ainda não estivemos — afirmei eu. — A Exposição.

— A Exposição do Mundo Português — disse Edward, adotando o seu tom de voz de guia turístico — para celebrar os centenários da fundação e da independência da nação, uma vez que Portugal foi fundado em 1140 e conquistou a independência de Espanha em 1640.

— Ouvi dizer que é magnífica — comentou Julia. — Dizem que foi enviada uma aldeia angolana inteira por navio para a ocasião.

— Isso não é terrível? — disse Iris. — Essas pobres criaturas, em exposição atrás de cordas, como animais num jardim zoológico. — Olhou para *Daisy*, que tinha adormecido no chão do elevador. — Como dizia, é porque o duque de Kent está cá que o duque de Windsor não está. Ele e a duquesa têm de ficar plantados à espera em Madrid até George se ir embora. Estão furiosos, mas não há nada que possam fazer, pois seria uma quebra de protocolo os irmãos estarem no mesmo país na mesma altura.

— Como é que sabe isso tudo?

— Ouço atrás das portas. Faz parte do nosso método. Apanho o mexerico no ar, a partir do qual forjo um enredo. Depois Eddie reúne os factos de forma a termos a certeza de que está correto.

— Como é que Oscar Wilde dizia? — disse Edward. — «Qualquer pessoa consegue escrever corretamente.»

— «Qualquer pessoa consegue tocar corretamente.» Ele referia-se ao piano.

— O que a minha mulher está a dizer é que ela é o cérebro da operação e que eu faço o trabalho de escravo. Certifico-me de que ela tem os factos corretos, o que normalmente não acontece. Corrijo a sua ortografia, que é normalmente ofensiva.

— Então vocês estão a escrever um romance passado em Lisboa? — quis saber Julia. — Que interessante. Pergunto a mim mesma se nós iremos acabar por aparecer nele como personagens.

— Não lhe dê ideias — avisou-a Edward.

— A premissa, ainda muito pouco trabalhada, é a de um suicídio num hotel de Lisboa — esclareceu Iris. — Um suicídio *aparente*. Tive a ideia porque foi assim que conseguimos o nosso quarto. É que fomos convidados a sair de uma dezena de outros lugares e, por isso, quando tentámos o Francfort foi um tiro no escuro. Depois, para grande surpresa nossa, o gerente disse-nos que nessa mesma manhã tinha ficado livre um quarto, já que o seu anterior ocupante, e estas foram as suas palavras exatas, «tinha tido de partir subitamente durante a noite». E pergunto-lhes, acham provável que alguém, neste preciso momento, partisse subitamente de um hotel de Lisboa durante a noite?

— Ela passou o dia inteiro a esquadrinhar o quarto à procura de provas — disse Edward. — Rachas no teto no caso de ele se ter enforcado. Sangue nos azulejos.

— Encontrou alguma? — perguntou Julia.

— Infelizmente não — disse Iris. — Mas o que importa os factos?

— Mas como é que vão trazer o vosso detetive para Lisboa? — perguntei.

— Ele é judeu. Virá para Lisboa pela mesma razão que nós viemos.

— Vocês são judeus?

— Eu não. Eddie é.

— Julia já sabe — disse Edward. — Com efeito, estivemos agora a falar sobre isso mesmo. As nossas avós vêm da mesma parte da Bavária. Julgamos que podemos ser primos.

Julia franziu a cara. Agora percebia porque estava tão rígida quando Edward tinha o braço à sua volta.

Durante toda esta conversa, o operador do elevador — um homem idoso num uniforme que não lhe assentava bem — havia permanecido de pé na rua, a fumar. Naquele momento, tinha acabado de atirar o cigarro fora e entrou connosco para a cabina. Éramos os únicos passageiros. Não obstante, esperou precisamente até às nove horas — os sinos da igreja confirmaram a hora — para fechar o portão e ligar o motor. O elevador rangeu, ronronou e começou a sua subida.

Há um sentimento que experimentamos, ou que pelo menos eu experimento, quando um elevador começa a subir: uma náusea, quase que uma antigravidade, como se o chão tivesse caído dos nossos pés; uma sensação, agora que penso nisso, não muito diferente da que se experimenta ao atravessar uma porta giratória. Se as mulheres não estivessem ali, teria posto a mão no ombro de Edward. Mas as mulheres estavam ali e, por isso, tinha apenas a madeira trabalhada à qual me agarrar à medida que, do outro lado do vidro, o telhado do nosso próprio Hotel Francfort se afundava sob o céu crepuscular e umas cuecas de senhora, que se haviam desprendido do estendal, enfunavam, antes de começarem a flutuar para baixo, em direção à rua.

Tínhamos chegado ao topo. Saímos. À nossa esquerda, subia uma estreita escada em caracol.

— A vista é melhor ao pôr do Sol — disse Edward. — Vamos.

Pegou na *Daisy* e dirigiu-se para as escadas. Iris e Julia seguiram-no. Ocupei a retaguarda para poder apanhar Julia no caso de ela ficar tonta.

O primeiro pensamento que me veio à cabeça quando chegámos ao telhado foi o de que os corrimãos eram demasiados baixos para impedirem alguém de cair.

O segundo foi o de que nunca tinha tido pela frente uma vista daquelas.

— Não é extraordinário? — perguntou Edward, vindo pôr-se ao meu lado. — Trezentos e sessenta degraus. Veja, ali estão as muralhas do castelo. Você não conseguia vê-las quando não tinha os óculos postos, Pete. E o rio, se calhar é mais largo do que o Mississippi. Ali é o Rossio. Só mesmo daqui é que nos conseguimos aperceber do efeito náutico, de como as ondas parecem ondular.

— Por favor, Eddie — disse Iris —, estás a fazer com que eu fique enjoada. — Ela pousara a mão sobre a barriga.

— A minha pobre mulher sofre de vertigens *e* de enjoo — disse Edward.

— É verdade — respondeu Iris. — É por isso que, entre todos os métodos de cometer suicídio, o saltar de algum lugar alto é-me o mais difícil de imaginar. A coragem que é preciso...

— Foi assim que o pai do Jean se matou — informou Julia.

— Quem? — perguntou Iris.

— Jean. O nosso decorador. O pai saltou da janela do apartamento dele na Avenue Mozart. Isto foi em 1915, acho eu. Era alemão, percebem, e, embora vivesse em França há anos, nunca se tinha dado ao trabalho de mudar de cidadania. E assim, quando a guerra chegou, foi declarado forasteiro inimigo, apesar de ter dois filhos a lutar na frente. A lutar pela França. E depois, no espaço de um mês, cada um dos filhos foi morto. Foi por essa razão que saltou da janela. — Ela confessou tudo isto num tom neutro.

— Nunca me tinhas contado isso — disse eu.

— Só me lembrei agora, pelo que acabou de dizer — esclareceu, olhando para Iris —, que não entendia como poderia alguém reunir a coragem suficiente para o fazer. Bom, ele conseguiu.

Como se sentisse subitamente frio, Julia esfregou os braços nus.

— Tenho a certeza de que diz muito sobre uma pessoa o modo como ela escolhe matar-se — afirmou Edward. — Se tivesse de escolher, poria uma pistola dentro da boca. Espetacular, mas sem dor. E você, Pete?

— Eu? Eu não o faria. Nem nunca sequer pensei nisso.

— Oh, vá lá, já deve ter pensado. Já toda a gente o fez.

Abanei a cabeça.

— É verdade — disse Julia. — Ele é desesperadamente agarrado à vida. — O seu tom era quase amargo.

Voltei-me para o rio. Embora já se tivessem passado anos desde que deixara o Midwest, a visão de litorais continuava a fazer-me sentir humilde e aterrorizava-me. A primeira vez que vi o Atlântico tinha vinte anos. Quis fugir a gritar. Disseram-me que as pessoas da região do Nordeste sentem a mesma coisa quando saem pela primeira vez do comboio no Kansas ou no Nebraska. A infinitude das planícies, a vastidão do céu — constitui para elas uma espécie de terror.

Depois aconteceu uma coisa estranha. Os pombos começaram a rodear o Elevador. Sem aviso, um deles mergulhou em direção à cabeça de Edward. Ele curvou-se, e *Daisy* subitamente deu um pulo e pôs-se de pé, ladrando e investindo.

— Vá, calma, menina — disse Edward, erguendo-a nos braços. Mas ela não parava de ladrar. Não parava de investir.

— Que diabo lhe deu? — perguntou Iris.

— São estes pombos — respondeu Edward. — Eu preveni-te de que eles eram infernais.

— Mas isto não parece dela. É um *terrier*. Sempre ignorou os pássaros.

— Não era melhor irmos para baixo? — sugeri. — Está a ficar escuro.

— Não é surpreendente — disse Julia — como durante o verão o Sol leva uma eternidade a pôr-se, mas quando o faz é tão rápido?

Era verdade. Em poucos minutos, o céu tinha passado de amarelo a azul, de azul para roxo, como uma ferida. — O Pete tem razão — disse Edward. — Se não formos rapidamente para baixo, vamos ter de lamber os degraus, como a *Daisy*.

Por qualquer motivo, descemos na ordem inversa — eu em primeiro lugar, depois as mulheres, depois Edward na retaguarda. Uma ponte de metal projetava-se da plataforma para as sombras. Atravessámo-la, Iris agarrada ao meu braço, recusando-se a olhar para os pedestres que seguiam o seu caminho pela Rua do Carmo, 45 metros abaixo de nós.

— Recordo-me de certa vez alguém me contar que, quando nos atiramos de um telhado, devemos assegurar-nos de que mergulhamos e não saltamos — disse ela. — Assim a cabeça bate primeiro no chão e morre-se instantaneamente. — De repente, ela deu uma risada. — Meu Deus, mas que reviravolta deprimente deu a nossa conversa! Estávamos tão alegres ainda há pouco.

— Eu sei — afirmou Edward. — Até parece que o mundo está a acabar ou coisa parecida.

7

Com uma autoconfiança que começava a ser previsível, Edward conduziu-nos através de um labirinto de ruas em pedra de calçada de tal modo estreitas que as velhotas, debruçadas às janelas, quase podiam beijar-se. Em primeiro lugar, o que eu gostaria de saber era como é que ele teria descoberto o Farta Brutos. Não tinha qualquer placa, nem tão-pouco as ruas em cuja esquina estava situado pareciam ter nome. Cada uma precipitava-se para cima num ângulo de tal forma íngreme que o próprio restaurante estava afundado uns quantos centímetros abaixo do passeio. A porta era tão baixa que tive de me inclinar para entrar. Numa espécie de antecâmara, um grupo barulhento de homens jovens estava abancado a uma mesa redonda.

— Isso é outra das coisas que já não se vê em Paris — disse Iris para mim. — Homens jovens.

Em breve, o dono — de certa idade e com uma barriga protuberante e um improvável e luxuriante cabelo preto — veio ter connosco para nos cumprimentar. Mal viu Edward, deu um grito de alegria. Apertaram ambas as mãos. Abraçaram-se. Beijaram-se na cara.

— Olhem para ele — disse Iris, acotovelando-me nas costelas. — Até parece um cliente habitual. E no entanto só cá estivemos uma vez. E é assim em todo o lado a que vamos.

Fomos conduzidos por uns degraus mais abaixo, até à sala de jantar propriamente dita. Era apenas ligeiramente maior do que a antecâmara. Tinha cinco mesas, todas, excetuando uma, ocupadas por homens portugueses, a fumar e a berrar.

— Felizmente, fiz reserva — disse Edward, ocupando um lugar da única mesa vazia. Tentei puxar uma cadeira para Julia, mas não havia espaço suficiente. Ela teve de deslizar de lado. As próprias cadeiras eram baixas e estreitas, com costas rígidas. Podíamos ver através da janela os sapatos das pessoas que passavam lá fora.

— O que é que vos parece? — perguntou Edward. — Decididamente, não é o tipo de sítio onde poderíamos cruzar-nos com o duque de Kent.

— Provavelmente, ele não tem estômago para isso — disse Iris, enquanto um empregado depositava na mesa garrafas de vinho e água, um cesto com pãezinhos e uma pequena taça contendo o que parecia ser uma pasta de peixe.

— Têm uma ementa em inglês? — perguntou Julia.

— Oh, não é preciso preocupar-nos com a ementa aqui — disse Edward. — Deixamos que o Armando escolha por nós.

— Encantador.

Edward serviu o vinho que tinha a cor de âmbar pálido.

— Vinho verde[1]. Uma especialidade do Norte, feito com uvas verdes. E agora gostaria de propor um brinde. A nós. As quatro estações.

— Quatro estações?

— Sim, uma vez que todas elas estão aqui representadas, esta noite. O Senhor Winters, com a sua mulher estival, Julia. Depois eu, Freleng é quase *Frühling*[2], não é? E a flor de outono, Iris.

---

[1] Em português, no original. *(N. da T.)*

[2] Primavera, em alemão *(N. da T.)*

— Mas os lírios florescem na primavera.

— Nem todos — disse Julia. — Alguns florescem no outono.

— Ai sim? — perguntou Iris. — Não sabia. Como o Eddie pode dizer-vos, sou uma ignorante no que toca a jardinagem.

Brindámos, e durante um breve instante os pequenos e húmidos olhos muito azuis de Iris cruzaram-se com os meus. Havia neles uma vulnerabilidade que contrastava com a sua inflexão sardónica. Ou seria a inflexão sardónica meramente uma defesa, os punhos de uma criança erguidos contra um conhecimento intolerável?

Em breve, Armando regressou, trazendo uma terrina com uma sopa espessa acastanhada que nos serviu com uma concha. À *Daisy*, ele deu uma taça com água e um rim. Ao provar a sopa, não consegui deixar de perguntar a mim mesmo se também não estaria um rim envolvido na sua preparação — isso ou algum sangue de porco, pois tinha um sabor particular metálico. As vísceras não me assustam. Saboreei-a entusiasticamente. Edward também. Julia, pelo contrário, cheirou e contraiu-se, enquanto Iris — o seu entusiasmo pelo vinho verde era tal que pareceu quase nem reparar na sopa que, de qualquer modo, foi rapidamente retirada da mesa, para ser substituída por uma caçarola fumegante de arroz de pato, com fatias de chouriço estaladiças por cima.

— É a especialidade da casa — disse Edward. — É preparado do mesmo modo que um *risotto* italiano, e depois é levado ao forno para o arroz ficar tostado.

Pôs um bocado no meu prato. Que diferente era isto da comida francesa!

— Na cozinha francesa — disse eu para Edward —, ou temos um ingrediente particular em toda a sua pureza, por exemplo, os canónigos numa salada; ou temos um sabor que nos desafia a identificar qualquer um dos seus ingredientes. Aqui, encontramos as duas coisas juntas.

— Exatamente. A camada pungente da carne de pato, o gosto acre do chouriço, o... como é que caracterizaria o arroz?

— O arroz não tem tanto sabor quanto textura. É algo que resiste ao paladar.

— Veja como eles falam — disse Iris para Julia. — Porque é que os homens não conseguem falar sensatamente? Só falam de comida.

— E depois o sabor coletivo da cada garfada — disse Edward —, que quase nos provoca lágrimas porque há qualquer coisa tão, bem, tão nostálgica nisso, e no entanto inteiramente nova... Quer dizer, percebemos que, para alguém, isto é a comida da sua infância. E não importa nada que não seja a nossa própria infância. O passado, alguma noção coletiva de passado, ganha vida na nossa boca.

— Tens andado a ler Proust ultimamente, não tens? — perguntou Iris.

— Acho que podia viver aqui — afirmou Edward —, se conseguisse aprender a língua. A língua, isso seria um desafio.

— A mim, soa-me como se fosse russo — disse Julia.

— Claro, é mais fácil ler do que falar — acrescentei eu. — Quando olho para os jornais, reconheço talvez metade das palavras.

— Por falar em português — disse Iris —, sabem como é que as pessoas daqui chamavam inicialmente a nossa Suíça? Bompernasse.

— *Bom* o quê?

— Bompernasse. É um trocadilho. Montparnasse combinado com *bom perna*, o que significa «pernas boas.»

— Por causa de todas as mulheres francesas com as pernas à mostra que se sentam nas esplanadas durante as tardes, fumando — disse Edward —, que é uma coisa que nenhuma mulher portuguesa decente faria. Na realidade, seria um escândalo uma portuguesa entrar simplesmente num café.

— Um país tão atrasado em alguns sentidos — disse Julia.

— Mas, Julia, pensei que querias ficar aqui até a guerra acabar — disse eu.

— Isso não significa que o considere o lugar ideal para viver — respondeu Julia. — Quer dizer, não é Paris.

— Paris é o seu lugar preferido sobre a Terra? — perguntou Iris.

— Claro. Não é o seu?

— Oh, não diria que tenho algum lugar preferido. Agora, quanto a Eddie, ele consegue sentir-se em casa em qualquer lado. Fechem os olhos, deem uma volta ao globo, enviem-no para o lugar onde os vossos dedos pararem, e eu garanto-vos que, dentro de um mês, ele será o presidente da Câmara dali.

— Mas a sensação de se sentir em casa em qualquer lugar não é a mesma do que a de não nos sentirmos em casa em lado nenhum?

— Não, na verdade, não é — retorquiu Edward —, embora essa seja uma perceção errada bastante comum. Na verdade, a pessoa que não se sente em casa em lado nenhum pertence a uma categoria inteiramente diferente daquela que se sente em casa em qualquer lugar. Iris é essa pessoa.

— É verdade — disse Iris. — Eu nem sequer compreendo o que as pessoas querem dizer quando afirmam que se sentem «em casa».

— Bem, não será, como hei de dizer, uma sensação de pertença?

— Assim mo dizem. Mas «pertença», «casa», para mim, são apenas palavras. E não se preocupem em tentar explicá-las, seria como tentar transmitir a noção de visão a um cego.

— Mas seguramente que sente alguma coisa pelo lugar onde cresceu?

— Você presume que eu cresci num lugar. Não cresci. Nasci na Malásia. A minha mãe morreu no parto, o meu pai quando eu tinha quatro anos. Não me lembro praticamente dele — ou da ama que cuidou de mim. Tinha cinco anos quando fui enviada para Inglaterra e, embora tivesse alguns familiares lá, eles não se interessaram muito por mim e, por isso, daí em diante foi só escola após escola... até que conheci o Eddie.

— A Pequena Órfã Iris — disse Edward.

— Penso que é provavelmente por isso que tenho um cão — continuou Iris. — Um cão é uma constante. Podemos contar com um cão de uma forma diferente daquela com que podemos contar com um lugar. Claro, quando deixámos Pyla poderíamos ter deixado a *Daisy* para trás. Os nossos amigos disseram-nos que éramos loucos, que conseguir chegar a Nova Iorque já seria suficientemente difícil sem que ainda por cima tivéssemos de nos preocupar com um cão velho. Bem, digo-o com todas as letras. Eu teria preferido ficar em Pyla, enfrentar a ocupação, a deixar *Daisy* entregue a algum camponês francês que, tanto quanto sei, lhe teria dado um tiro mal nos afastássemos. — Ela estava de novo lacrimejante. — E depois, em Irun, na alfândega espanhola, o funcionário insistiu em que *Daisy* era uma mercadoria comercial e que tínhamos de pagar imposto aduaneiro sobre ela. Eu disse-lhe: «Ela tem quinze anos. Quanto acha que iria conseguir obter por ela?» Mas tive a sensação de que ele faria tudo para não sair a perder da discussão, e por isso pagámos o imposto.

Um empregado veio levantar os pratos e pousou três enormes taças na mesa. A primeira continha um creme aguado, a segunda peras roxas em vinho, a terceira uma papa cor de laranja espessa.

— Gemas de ovos cruas e açúcar — disse Edward, servindo-se. — Extremamente doce.

— Demasiado doce para o meu gosto — disse Julia.

— Acham que podemos dar um pouco dessa coisa com ovo à *Daisy*? — perguntou Iris. — Dizem que os ovos fazem bem aos cães. Dão brilho ao pelo.

— Se achas que não vai provocar diarreia — disse Edward. — Diarreia é a última coisa de que precisamos.

Julia encolheu os ombros. Eu servi-me de um pouco do creme e olhei para o outro lado da mesa.

Pela segunda vez, durante aquela noite, Edward olhou para mim.

Pela segunda vez, piscou o olho.

8

Depois do jantar voltámos para o Rossio. Nas ruas ouvia-se o choroso lamento dos cantores de fado.

— Podem chamar-me snobe, mas não consigo entender o interesse do fado — disse Iris.

— São cantigas tão tristes — retorquiu Julia.

— O fado é para ser triste — disse Edward. — É a expressão máxima dessa emoção tão portuguesa, *saudade*, que pode ser definida como a perpétua nostalgia por uma perpetuamente ilusória... não, não é satisfação. É antes aquilo que nunca será.

— Talvez, o que nunca estará na ementa do Farta Brutos? — sugeri eu.

— Sim! — disse Edward.

— Se querem saber a minha opinião, acho que é só um miar — disse Iris. — A *Daisy* não o suporta, pois não?

Daisy estava atarefada a cheirar umas caganitas de pombo no passeio.

— Aqui não, *Daisy* — disse Edward, puxando pela coleira. — Não queremos parar agora.

Olhei para ele interrogativamente. Com o ombro, indicou a montra à frente da qual tínhamos parado. Castelos, Meistersingers, elfos. A velha e amigável Munique, a velha e acolhedora Heidelberg. Alegre, sem preocupações, valsando em Viena.

— O escritório dos caminhos de ferro do Reich alemão — disse ele.

— Em dezembro já estavam a fazer anúncios na *Vogue* — afirmou Julia. — Sessenta por cento de desconto.

Um jovem com um chapéu de feltro veio ter connosco.

— Estão a planear uma viagem, madame? — perguntou a Julia.

— O quê? — disse Julia. — Oh, não. Quer dizer, não para a Alemanha.

— Mas são americanos. Porque não ir de férias para a Alemanha?

— Na realidade, não somos americanos — disse Iris. — Somos tasmanianos.

— Tasmanianos?

Ela assentiu.

— Já esteve na Tasmânia? É encantadora. Famosa pelos seus animais, em particular, pelo diabo-da-tasmânia. — E apontou para *Daisy*. — Evidentemente, este é domesticado, mais ou menos. Ainda assim, não me aproximaria muito.

O jovem levou a mão ao chapéu, num cumprimento, e fugiu. Edward desatou a rir.

— O que é que aconteceu? — perguntei.

— Um informador alemão — respondeu Edward. — Eles estão por toda a cidade. Normalmente, fingem que são ingleses, à espera de obterem alguma informação.

— Dava para ver, porque tinha um traseiro grande — afirmou Iris.

— O quê? — Julia tapou a boca com a mão.

— É uma teoria da minha mulher — disse Edward —, que os informadores podem ser sempre reconhecidos pelos traseiros grandes.

— Não é uma teoria. É uma coisa que me disseram. Alguém que sabe.

— Mas porque haveriam eles de ter traseiros grandes? — perguntou Julia.

— Talvez por passarem tanto tempo sentados — disse eu.

— Ou pela vida dupla — acrescentou Edward. — Pode ser que a vida dupla, a própria vida dupla, cause um traseiro grande. O nosso Pete aqui, por exemplo, não tem um traseiro grande. E aposto que nunca levou uma vida dupla. Tenho ou não razão, Pete?

— Sobre o traseiro ou sobre a vida?

— Deixe-me dar uma olhadela — disse Iris, pondo-se atrás de mim. — Meu Deus, é verdade! Há só este... plano rente. Até parece que nem sequer tem nádegas.

— Claro que tenho nádegas. São estas calças que...

— Mas Pete, não tens. — Quase contra a sua vontade, Julia desatou a dar gargalhadas. — Quer dizer, tens, só que... não estão muito à vista.

— *Reductio ad absurdum* — disse Edward —, um homem com a consciência limpa.

— Enquanto tu, meu querido — disse Iris —, tens um traseiro claramente protuberante. Não é gordo, é só... protuberante e incrivelmente firme.

Por esta altura, tínhamos já passado por baixo da ponte que atravessáramos anteriormente, aquela que ligava o elevador ao Bairro Alto. Por cima do Rossio, um cronómetro luminoso indicava as horas, com as palavras OMEGA O MELHOR, acendendo e apagando debaixo dele.

— Para um país pobre, parece efetivamente terem muito dinheiro para eletricidade — disse Julia.

— É demais — acrescentei eu. — Faz-me dor de cabeça.

— Preferias voltar para o apagão?

— De certa maneira. — A verdade é que sempre preferi a escuridão à luz, o silêncio ao ruído.

À porta do Francfort Hotel, estendi a mão a Edward, mas ele não pegou nela.

— Alguém quer tomar uma bebida antes de dormir? — perguntou ele.

— Não contes comigo — respondeu Iris. — Praticamente não dormi desde que aqui chegámos e tenho o pressentimento de que esta noite talvez o consiga. A Julia também está cansada. Não está, Julia?

— Na verdade...

— Deixe-os ir — interrompeu Iris, tocando-lhe no braço. — Os homens precisam de tempo só para eles. Especialmente, quando têm estado enclausurados com as suas mulheres durante semanas a fio.

— Oh, está bem. Estou um pouco cansada. Mas vai tu, Pete.

— Então, o que diz, Pete? — interpelou Edward.

— Eu estou disposto se também o estiver — disse.

Mal deixámos as nossas mulheres nos seus respetivos Francforts, fomos acometidos por uma súbita timidez. Caminhámos sem falar. Nos passeios da Baixa, velhotes jogavam às cartas à luz de candeeiros a gás, em redor dos quais enxameavam moscas. Rapazes pontapeavam bolas de futebol — isto a uma hora em que qualquer criança anglo-saxónica que se prezasse estaria há muito na cama.

Passado um bocado, chegámos ao pé do meu carro, o meu *Buick*, com borrifos de lama ressequida agarrados aos para-lamas.

Parámos.

— Este é o meu carro — disse eu.

— A sério? — disse Edward. — Tem as chaves?

Por acaso tinha. Por força do hábito, ainda as ponho no bolso sempre que saímos — não só as chaves do carro, mas as chaves do nosso apartamento em Paris, do meu escritório, da *chambre de bonne* para onde o decorador de Julia tinha relegado a nossa mobília antiga.

— Vamos dar uma volta nele — disse Edward. — Vamos até ao Estoril.

— Mas eu não conheço o caminho.

— É fácil. Vamos em direção do rio e viramos à direita.

Entrámos. O interior do carro cheirava a naftalina, cigarros, algum café nauseabundo que eu tinha entornado algures em Espanha. Quando eu e Julia chegámos a Lisboa, estacionei o *Buick* e tentei esquecê-lo. Durante dez dias medonhos, ele tinha sido a nossa casa — durante algumas noites tinha sido a nossa cama — e por isso a simples visão dele era suficiente para conjurar os zumbidos dos aviões alemães, as vozes monótonas daqueles funcionários de alfândega espanhóis, os solavancos das estradas mal pavimentadas. Mas agora era Edward, não Julia, que estava sentado no banco a meu lado, e o prazer que outrora experimentara pelos carros reacendeu-se. Ele esticou as pernas esguias, abriu e fechou o porta-luvas, abriu o cinzeiro, baixou e levantou a pala do vidro da frente.

Pus o carro a funcionar e dirigi-me lentamente para a rua, de tal modo estreita que mal podia comportar um veículo de dimensões tão gigantescas.

— Conduz? — perguntei a Edward.

— Eu? Não. Mas a Iris sim. *E* veleja. *E* monta. — Baixou o vidro do lugar do passageiro e pôs o longo braço fora da janela.

— Parece ser uma mulher bastante capaz, a Iris — comentei eu.

— Ela é como Salazar — disse Edward. — Primeiro-ministro, ministro dos Negócios Estrangeiros, ministro do Interior, ministro das Finanças. Ela é o Conselho de Ministros.

— E isso faz de si o quê?

— Um humilde peão. Obediente. O funcionário que mantém o seu emprego ao certificar-se de que nunca tem uma opinião e depois dá um tiro a si mesmo na sua festa de aposentação... Mas a sério, a minha mulher é uma maravilha. Consideravelmente mais inteligente do que eu, embora, claro, ela não acredite nisso. Isso deve-se ao facto de a sua educação ter sido fragmentária, nunca teve as bases... você sabe, como fazer uma conta de dividir de um número comprido, como fazer a pontuação de uma frase corretamente. Latim e Grego. Meu Deus! Ao passo que eu tive Latim e Grego durante séculos. Sou superinstruído, hiperinstruído. E, no entanto, comparado com ela, sou estúpido.

— Se você é estúpido, eu sou um cretino. Não sou mais esperto do que... olhe, do que este cinzeiro.

— Mas você *faz* alguma coisa. Tem um emprego. Vende carros.

— E você escreve livros.

— Livros estúpidos. A Iris contou a Julia como começámos com eles? Foi uma aposta. Alec Tyndall, esse tipo com quem travámos conhecimento em Le Touquet, a mulher dele estava a ler Agatha Christie. Bem, uma certa bela noite ele e eu embebedámo-nos e ele apostou comigo cem libras em como conseguia escrever um romance policial antes de mim. E aceitei a aposta.

— Presumo que ganhou.

— Ganhei. Mas não o deixei pagar-me. Não podia. Por essa altura, já estávamos a receber cheques pelos direitos de autor.

— Cheques pelos direitos é algo de que se pode orgulhar.

— Não, não são algo de que nos possamos orgulhar. O *Tractatus Logico-Philosophicus*[1], esse sim, é algo para nos

---

[1] A única obra publicada em vida pelo filósofo austríaco, professor em Cambridge, Ludwig Wittgenstein. É uma das obras seminais do século XX. *(N. da T.)*

orgulharmos. Os Teoremas da Incompletude[1] são uma coisa de que nos podemos orgulhar.

Eu não sabia o que eram os Teoremas da Incompletude. Perguntei a mim mesmo se não teriam que ver com a Teosofia.

— No mundo em que vivo, os homens não são avaliados pelos seus cérebros — disse eu. — São avaliados pelo dinheiro que ganham.

— Então, no seu mundo eu não sou nada, porque nunca ganhei um cêntimo na minha vida.

— Mas os romances devem dar dinheiro.

— Atribua esses a Iris. Ela é o cérebro por detrás da operação. — Ele ia brincando com o trinco da porta, puxando-o para cima e empurrando-o para baixo. — Por falar nisso, viramos aqui. — Eu virei. Tínhamos o rio ao nosso lado. À esquerda, desenhavam-se, indistintos, ao luar, os mastros listrados dos navios. Uma corrente de ar perpassou pelo *Buick*, enchendo-o de cheiros marítimos — água salgada, borracha queimada, vísceras de peixe —, que inalei com deleite, tendo esperança de que eles erradicassem a naftalina, os cigarros, o café, todos os odores antigos e residuais do nosso lento êxodo.

— Gosto deste carro — disse Edward. — Gosto mesmo. Tenho uma ideia. Vamos fingir que eu sou um cliente, um estranho. Tente persuadir-me. Venda-me um carro.

— No que toca a luxo, não encontrará nada que se possa comparar ao *Limited* — disse eu. — Tem uns colossais três metros e cinquenta e cinco centímetros de distância entre os eixos e um banco dianteiro com um metro e quarenta e dois centímetros. É apenas ligeiramente menos largo do que

---

[1] Também chamados Teoremas da Indecidibilidade. São dois teoremas da lógica matemática, provados pelo matemático austríaco Kurt Gödel, e sobre os quais Wittgenstein escreveu. *(N. da T.)*

o tamanho real de um *Davenport*, e não é menos confortável, porque os bancos são assentes numa base de borracha *Foamtex* sobre molas *Marshall* e forrados com um elegante veludo cotelê. É como se estivesse a descontrair-se no seu clube de eleição.

— No meu clube de eleição! Adoro isso. Continue.

— O braço do banco de trás recolhe e tem um cinzeiro embutido, enquanto as portas estão equipadas com bolsos laterais espaçosos, atraentemente pregueados e ideais para se guardar revistas, mapas de estrada e pequenos objetos. Os manípulos das janelas e o sistema de ventilação estão pensados para serem sólidos e de fácil manipulação e têm botões de plástico coloridos que se coadunam com os acabamentos interiores. E agora vejamos o painel de instrumentos. Consegue ver o relógio eletrónico montado na porta do guarda-luvas? Tem uma margem de erro ao ano de três segundos. Além do mais, tem um isqueiro elétrico automático e múltiplos cinzeiros. Para lá disso, este modelo, em particular, apresenta a capota retráctil exclusiva da *Buick*, a Sunshine Turret Top, ideal para tardes quentes. Mas não pense que por o *Limited* ser espaçoso é lento, porque ele vem equipado com o *Dynaflash*, o nosso motor de oito cilindros em linha, com 141 cavalos, amortecedores a óleo e válvulas incorporadas. Pode passar dos quinze aos noventa e cinco quilómetros por hora em apenas dezoito segundos. E a nossa suspensão *BuiCoil*, com mola helicoidal, assegura uma condução suave até mesmo na estrada mais acidentada. Agora, segure-se bem no seu lugar e olhe para o relógio. — Meti outra mudança e acelerei.

— Ei! — exclamou Edward, apoiando a mão no painel de instrumentos.

Alcançámos os noventa e cinco.

— Isso foi em quantos segundos?

— Catorze. Já comprei. Estou pronto para passar o cheque.

— Pode passá-lo, mas não o vou aceitar.

— Porque não?

— Pela mesma razão pela qual você não quis aceitar o dinheiro daquele homem, aquele com quem fez a aposta... Não, lamento mas parece que vou ter de o vender com prejuízo. Bom, o que entra também sai... Sabe o que é que eu ouvi ontem dizer? Que na última vez em que o *Excambion* se fez ao mar, alguma pessoa importante polaca estava a vender o seu *Rolls-Royce* em pleno cais, no momento em que o navio se estava a preparar para levantar a âncora. Literalmente, quando estava levantando a âncora.

— Mas porquê vender com prejuízo quando eu ofereço o valor de mercado?

— E o que pensa fazer com um carro quando nem sequer conduz?

— Deixo-o aqui. Para o vir buscar quando voltar.

— Então pensa voltar?

— Porque não?

Fiquei a ruminar naquilo durante um breve instante.

— A Julia parece pensar que, se partirmos, será para sempre. Ela está a fazer pressão para ficarmos aqui, em Portugal.

— Poderá não ser a pior das ideias. Portugal é neutro, ao fim e ao cabo. Eu sei que as pessoas dizem que não será por muito tempo. Ainda assim, não subestimaria Salazar. Ele é astuto. Sabe como jogar nos dois campos para manter a vantagem.

— Então porque é que há pessoas tão desesperadas para saírem, como os Fischbeins?

— Porque eles não têm qualquer estatuto. Nenhuma posição de relevo. E não se esqueça de onde eles vieram. Da guerra. Guerra concreta. Gostariam de ter um oceano entre eles e aquela. Para nós, em comparação, foi fácil.

Não podia deixar de concordar com isso. Em Paris, no início, a guerra parecia pouco mais do que um baile de máscaras. Em antecipação dos ataques aéreos, Julia tinha comprado para si um poncho xadrez, do Charles Creed, e uma sacola de máscara antigás alta costura em *tweed* vermelho e com contas douradas, da Lanvin. De acordo com a *Vogue*, uma sacola de máscara antigás alta costura era agora uma necessidade que nenhum parisiense sofisticado poderia dispensar.

As coisas pioraram na primavera. Caíram umas quantas bombas. No entanto, a atitude dos jornais continuou fleumática. E depois, certa tarde, quando regressava a casa, reparei por acaso numa coluna de fumo elevando-se por trás do Ministério dos Negócios Estrangeiros. Perguntei a mim mesmo se seria outra bomba. Veio a saber-se que os funcionários estavam a atirar pilhas de documentos pela janela, para uma fogueira.

Naquela noite, ao abrigo da escuridão, o Governo fugiu da capital — primeiro, para Tours, em seguida, para Bordéus — e, na noite seguinte, no nosso *Buick* a abarrotar, eu e Julia fizemos o mesmo. Pusemos na sacola da máscara antigás, que nunca tinha acomodado qualquer máscara antigás, tudo aquilo que não desejávamos que os funcionários de alfândega encontrassem.

— Olhe — disse Edward apontando, com o braço fora da janela. — É a Exposição!

Olhei. A Exposição estava iluminada como se de um aeródromo se tratasse. Tudo nela era titânico: os pavilhões, as estátuas, as fontes jorrando para o ar esguichos de água a dezoito metros.

— É isto que acontece quando o modernismo fica sob o feitiço do fascismo — disse Edward. — A vanguarda torna-se o veículo para a promoção daquelas mesmas forças que deveria aspirar subverter. Um vernáculo modernista é tornado refém com o propósito de promulgar os valores de um passado idílico, um passado que nunca existiu. Uma espécie de nostalgia politicamente imposta... Talvez seja esta a definição de fascismo?

— Não saberia dizê-lo.

— E pensar que no próximo ano, por esta mesma altura, tudo estará demolido.

— A sério?

— Claro. É só um cenário. De outro modo, como conseguiriam eles ter montado tudo tão rapidamente? Sabe, temos mesmo de dar crédito a Salazar. Ele tem aquele espírito de o espetáculo-tem-de-continuar. Quer dizer, a guerra não podia ter vindo em pior altura para ele.

— Pelo menos os hotéis estão cheios.

— Oh, mas tinham de estar cheios. Com turistas, não com refugiados.

Isso era verdade. Eu já tinha perguntado ao Senhor Costa quantos hóspedes do Francfort estavam em Lisboa para a Exposição. — Talvez dez — tinha ele respondido, num murmúrio, como se fosse vergonhoso. — Quanto aos outros, que passaportes tenho eu visto, meu senhor! Búlgaros, húngaros, polacos, russos, japoneses, soviéticos, luxemburgueses, nansen. Todos vêm para Lisboa, e porquê? Para se irem embora de Lisboa.

O que era estranho — o que ninguém percebeu no início — era o motivo por que Salazar tinha deixado entrar, em primeiro lugar, tantos refugiados. A opinião de Edward era de que tudo se devia ao cônsul português em Bordéus.

— Lembra-se daquela cena no consulado? — perguntou ele. — O cônsul esteve a assinar vistos durante a noite toda, assinando qualquer visto que lhe aparecesse na secretária. Quando Iris e eu fomos lá, ele tinha um rabi a ajudá-lo, um rabi ao estilo antigo, envergando um manto de oração.

O rabi carimbava o passaporte e depois o cônsul assinava-o. Não havia perguntas. Como uma linha de montagem.

Embora não me recordasse do rabi, lembrava-me efetivamente do cônsul: um homem gordo de barba que, com uma mão, levava à boca uma colher de guisado e, com a outra, assinava. Era verdade, ele não estava a recusar ninguém. Também era verdade que, quando Julia e eu conseguimos sair com os nossos vistos, cerca das onze horas da noite, o consulado estava ainda aberto e não mostrava sinais de fechar. Em contrapartida, o consulado espanhol encerrava todas as tardes ao soar das cinco badaladas, não importando o quão comprida era a fila que serpenteava pela sua escadaria acima.

— A questão é que, ao assinar todos esses vistos, o cônsul estava a violar flagrantemente as ordens recebidas, que eram as de não emitir um único visto sem a autorização prévia de Lisboa. Ele tinha uma consciência, pela qual irá pagar um preço muito elevado. E, entrementes, Salazar está a braços com cem mil refugiados.

— Ele não os pode mandar para trás?

— Para trás para onde? A Espanha não os aceita. A França não os aceita. Já lhe falei daquele casal que eu e Iris conhecemos na Ponte Internacional? A mulher era holandesa, o marido belga. Contaram-nos que tinham conseguido passar pelo controlo da fronteira francesa e entrado em Espanha, onde os espanhóis lhes disseram que havia alguma coisa de errado com o visto da mulher, eles não conseguiam ler a data ou qualquer coisa parecida, e ela teria de voltar para França e obter um novo. E assim ela voltou para trás, até ao lado francês da ponte, onde os guardas franceses lhe disseram que ela não podia entrar em França porque não tinha um visto de entrada francês. Então regressou lentamente para o lado espanhol da ponte, onde lhe disseram... Bom, está a ver o filme. Que eu saiba, ela ainda está na ponte.

Eu e Julia também atravessámos a Ponte Internacional. Havia duas faixas para carros — uma para carros vulgares, tais como o nosso, que avançava a passo de caracol, e a outra para veículos com matrículas de diplomatas, dos quais talvez dez tenham passado durante as cinco horas que estivemos naquela ponte. Passar pela alfândega espanhola levou-nos outras cinco horas, findas as quais um oficial estabeleceu um caminho para chegar até à fronteira portuguesa. Se nos desviássemos desse caminho, fomos avisados, poderíamos ser presos.

Espanha foi possivelmente a pior parte da viagem. Julia recusou-se a comer o que quer que fosse. As suas manias em relação às instalações sanitárias eram de tal ordem que acabou por desenvolver um caso agudo de obstipação. Durante horas a fio, fazia paciências — ela tinha arranjado uma espécie de tabuleiro que conseguia segurar no colo — ou então olhava fixamente para as fotografias do nosso apartamento na *Vogue*, da qual por vezes lia em voz alta: «Foi desejo da senhora da casa, uma americana há muito a residir na Europa, manter o charme parisiense do andar e reduzir simultaneamente a sua exuberância parisiense. Menos de tudo — Colette em vez de Proust! Matisse em vez de Ingres! — mas ainda assim inequivocamente *à la française*.» Ela tinha um só exemplar, e estava a ficar gasto.

Agora, dentro do *Buick*, olhei para Edward. Queria assegurar-me de que era mesmo ele, e não Julia, que estava no lugar do passageiro. Como um cão, pusera a cara fora da janela.

— Olhe, estamos no Estoril! — exclamou. — Ali é o Atlântico! — Apontou para um hotel, em cujo telhado o nome ATLÂNTICO pulsava em néon. — E aquele é o Palácio! — Uma vez mais, o nome, PALÁCIO, estava escrito por cima do telhado, o que me fez pensar se ele não teria já estado no Estoril. Gostava de dar essa impressão, de que a qualquer lado aonde ia era um sítio onde já tinha estado.

Estacionámos o carro. Das escadas do casino, estendia-se em direção ao oceano um parque no estilo inglês. Caminhámos por uma avenida acima, ladeada de palmeiras, até à entrada.

— Sinta a aragem — disse Edward. — Tão mais fresca do que em Lisboa. Não o faz lembrar a Riviera? Sabe, aquele ar ligeiramente convalescente e todos aqueles hotéis que parecem vagamente hospitais? E depois as linhas de comboio dividindo a praia da vila. Só que não é o Mediterrâneo que está do outro lado, é o Atlântico. Essa é a grande diferença. Nunca consegui suportar as estâncias mediterrânicas, aquela água de banho morno. Enquanto um oceano é mais selvagem do que um mar. Escute, até daqui se consegue ouvir as ondas.

Pus-me à escuta — e ouvi os motores das limusines, o vagido da música de dança, o tagarelar dos clientes dos cafés. Certas palavras são iguais em todas as línguas europeias. Visto. Passaporte. Hotel.

Chegámos ao casino. Tal como no Macy's, paquetes com dragonas nos ombros abriram as portas de par em par. Passando pelas mesas de jogo, pelos salões de póquer, pelo cinema e pelo Wonder Bar, Edward conduziu-me a uma vasta pista de dança, onde europeus vestidos em traje de noite dançavam. Puxou uma mesa que estava encostada à parede, fazendo sinal para me sentar e, depois, quando o fiz, voltou a empurrar a mesa de modo a eu não poder levantar-me.

— Sinto-me como uma criança a quem estão a aconchegar na cama — disse eu.

— Chame-me então Ama — retorquiu ele. Sobre as nossas cabeças, um candelabro imenso tremulava. A orquestra tocava «World Weary» de Noël Coward, o cantor pronunciava foneticamente a letra:

When I' m feeling weary and blue, I'm only too
glad to be left alone,

dreaming of a place in the sun when day is done
far from a telephone...[1]

— *Hardly ever see the sky* — Edward cantava ao mesmo tempo —, *buildings seem to grow so high.*[2]

Give me somewhere peaceful and grand
Where all the land slumber in monotone...[3]

Um empregado fez a sua aparição.

— Absinto — pediu Edward. — Aqui é legal — acrescentou ele, depois de o empregado se ter afastado.

— Eu sei. Nunca o experimentei.

— A sério? O beijo de fada verde é amargo, dizem eles. — Por baixo da mesa, sentia a pressão da perna dele contra a minha. — Na realidade, aprendi bastante sobre absinto quando estávamos a escrever o segundo dos romances Legrand. A ideia de Iris era de que a vítima fosse um viciado em absinto. Como não consegue arranjá-lo em Paris, obtém-no contrabandeado vindo de Espanha. A mulher odeia-o, por isso decide livrar-se dele, deitando cianeto no seu absinto. O seu plano é o de que o médico legista declare envenenamento por absinto como causa da morte, o que ele faz.

I'm world weary, world weary,
Living in a great big town...[4]

---

[1] Quando me sinto desiludido e triste, sinto-me tão / contente por me deixarem em paz, / sonhando com um lugar ao sol quando o dia acabou / longe de um telefone... *(N. da T.)*

[2] Quase não vejo o céu / os prédios parecem crescer tão alto. *(N. da T.)*

[3] Encontrem-me algum lugar tranquilo e fabuloso / Onde toda a terra adormeça no mesmo tom... *(N. da T.)*

[4] Estou desiludido com a vida, estou desiludido com a vida, / E a viver numa grande cidade... *(N. da T.)*

— E existe envenenamento por absinto?

— Só na medida em que existe uma coisa como envenenamento por álcool. A tujona é em si relativamente inofensiva.

O empregado regressou, trazendo no tabuleiro os utensílios elaborados do absinto. Estes incluíam uma garrafa de água e dois minúsculos copos, enchendo cada um deles até meio com o viscoso líquido verde. Depois equilibrou uma colher perfurada em forma de folha sobre cada copo. Em seguida, pôs um cubo de açúcar em cima de cada uma das colheres. Foi Edward quem verteu a água da garrafa através dos cubos de açúcar, findo o qual o absinto ficou manchado.

— Para adoçar, um pouco, o beijo da fada verde.

Fizemos um brinde sem trocar palavras. Quanto ao sabor, o absinto lembrou-me algum licor forte que a minha mãe costumava ter a seu lado na cama — para mascarar, presumo, o whisky no seu hálito.

I'm world weary, world weary,
Tired of all these jumping jacks...[1]

— Eddie, é você? — perguntou uma mulher, surgindo cambaleante entre a multidão.

— Oh, Deus — disse Edward. — Olá, George.

Ela inclinou-se para dar um beijo, de modo que os seus seios ficaram pendurados como sacos. Uma cruz ornada com diamantes balançava entre eles. Teria à roda de sessenta anos, era sardenta, de cabelo preto em desalinho, salpicado de brancas.

— George, este é o Pete.

[1] Estou desiludido com a vida, desiludido com a vida, / Tão farto destas voltas todas... *(N. da T.)*

— Georgina Kendall, encantada por conhecê-lo — disse a mulher, estendendo uma mão que parecia ser só nós de dedos inchados. — Estou aqui com a Lucy. Recorda-se da Lucy? Do comboio?

Ele acenou em concordância.

— Eu e Eddie conhecemo-nos no Sud Express, quando ele ficou parado à saída de Salamanca — disse-me Georgina.

— Em guerra, os comboios nunca chegam a horas — afirmou Edward aforisticamente.

— Eu que o diga! De qualquer modo, acabámos por nos tornar grandes amigos, nós os quatro: eu e Lucy e Eddie e a Aster. Como está a Aster, por falar nisso? E aquele adorável pequeno *schnauzer*?

— Estão ambos bem. Estão hospedadas aqui no Estoril?

— Sim, estamos no Palácio, e está a custar-nos uma fortuna, a Lucy tem um fraco por mesas de jogo, mas tenho esperança de que o material que estou a reunir para o meu livro nos permita recuperar as suas perdas e ainda mais algum. Sabe, sou escritora — dirigindo-se a mim — e estou neste momento a trabalhar numas memórias. Não um diário, umas memórias. Quer dizer, estou a escrever como se estivesse já de regresso a casa, sentada no meu estúdio, rememorando tudo aquilo por que tenho passado. Deverá chamar-se *Fuga de França*. Bem, poderão agora perguntar-me porque resolvi fazer as coisas assim, e eu vou dizer-vos. É porque conheço o mercado. Por esta altura, no próximo ano, garanto-vos, as livrarias irão estar invadidas com memórias de estrangeiros a escaparem de França, e não pretendo deixar ninguém vencer-me na reta final.

— Mas isso não é um pouco arriscado? — disse Edward. — Terá de falsificar a sua perspetiva, não é? Fingir que está a olhar para trás quando na verdade está completamente mergulhada nos acontecimentos?

— A ilusão, como muito bem sabe, Eddie, é o ofício do escritor. Além disso, ninguém gosta de ler diários. São tão maçadores! «Treze de junho. Acordei, tomei o pequeno-almoço. Trinta e um de junho. Acordei, tomei o pequeno-almoço.»

— Trinta e um de junho?

— Bem, você percebeu o que eu quis dizer.

— Mas, e se acontece alguma coisa completamente inesperada? E se Portugal se juntar aos Aliados? Ou Franco unir forças com Hitler? Arruinará o seu final.

— Agora está a fazer pouco de mim.

— Não, não estou. Estou a desafiá-la. Estou a pedir que mostre o jogo.

— Querido Eddie — disse Georgina enquanto se voltava para mim. — Ele parece achar que os escritores deveriam comportar-se como jornalistas. Não compreende que para nós o tempo não existe. Pense em Proust. — Sorriu, mostrando os dentes pequenos e irregulares. — Bem, tenho de ir. Dê os meus cumprimentos a Aster. E ao cão.

Enquanto ela desaparecia na multidão, pressionei com mais força a minha perna contra a de Edward. Subitamente, quis magoá-lo. Quis forçá-lo a admitir a derrota.

Ele nem sequer pestanejou.

— Aquilo que ali vai, meu rapaz — disse ele —, é um mercenário da escrita. *Mercenarius literarius*. Para o caso de nunca ter visto um espécime vivo.

— Nunca ouvi sequer falar dela.

— É melhor que assim seja. É uma charlatã. Mais uma daquelas mulheres americanas ricas que têm andado a vaguear por Nice desde as Guerras Napoleónicas. Nice, ou talvez Saint-Tropez.

— Estranho, esta noção de escrever sobre o que está a acontecer como se já tivesse acontecido.

— Medo do futuro, não é mais do que isso. Ela acha que se conseguir fazer do presente o passado, o futuro não a poderá atingir.

— E você? Não tem receio do futuro?

— O que há para recear? O futuro não existe. É o passado que me assusta.

— Porquê?

— Porque não pode ser alterado, e não pode ser alguma vez conhecido. — Debaixo da mesa, ele mudou de posição de forma que as suas pernas ficaram a apertar as minhas. — Esse é o problema, está a ver, nestes tempos todos nós gastamos tanto tempo a preocupar-nos com o futuro que o momento presente nos foge das mãos. E assim, tudo o que nos resta é a retrospeção e a antecipação, a retrospeção e a antecipação. E nesse caso o que resta para recordar a não ser a antecipação passada? O que resta para antecipar a não ser a retrospeção futura?

— Entendo o que quer dizer — disse eu. — É como o meu irmão Harry. Na última vez em que o vi, a ele e à sua mulher, eles passaram o pequeno-almoço inteiro a discutir onde almoçar.

— Exatamente.

— E o almoço inteiro a discutir onde jantar.

— Sim!

— E o jantar inteiro a rever o que tinham comido ao pequeno-almoço *e* ao almoço.

— É isso! É precisamente o que se deve evitar.

— Mas como é que se consegue evitá-lo quando temos de estar sempre a fazer planos, a aprender com os erros, a delinear estratégias?

— Certo, como se consegue? Como é que diabo se consegue? — Ele inclinou-se e ficou mais próximo de mim. — Está a senti-lo agora?

— O quê? A sua perna?

— Não, eu sei que está a sentir aquilo. O absinto.

— Não tenho a certeza. O que é que devia estar a sentir?

— Devia estar a alucinar.

— Pode ser alucinação. Terei de verificar.

Olhei para a multidão.

— O que vê?

— Pessoas a dançar. Oh, os Fischbeins estão ali. Consegue vê-los?

— Sim. Consigo. Ou bem que estamos a ter a mesma alucinação, ou eles estão realmente ali.

Se os Fischbeins estavam ali, não nos reconheceram. O Monsieur Fischbein vestia um smoking um tamanho acima do seu, a Madame Fischbein um vestido de noite de tafetá verde. As pérolas cintilavam-lhe de encontro à barbela sardenta. O seu casaco de peles estava pendurado nas costas da cadeira.

— São tão maus quanto os alemães. — Estava o Monsieur Fischbein a dizer a algum ouvinte desconhecido. — Dizem-nos que precisamos de um documento, trazemo-lo. Depois, dizem-nos que precisamos de outro documento, nós dizemos que não conseguimos trazê-lo. Depois, dizem-nos que lamentam, que devemos tentar outro país. Mas onde, pergunto-lhe? Terre de Feu?

Parecia que era sempre a Terre de Feu.

— Vamos regressar a Antuérpia — disse Madame Fischbein. — Seja o que for que os alemães façam, não pode ser pior do que isto.

Com um floreio fatalista, o casal idoso encaminhou-se para a pista de dança. Às voltas e reviravoltas, valsaram, ao som da melodia «When I Grow Too Old to Dream»[1], *madame* apoiando a testa no ombro ossudo de *monsieur*.

---

[1] Quando For demasiado Velho para Sonhar. *(N. da T.)*

— Olhe para eles — disse Edward. — Colhei vós botões de rosa enquanto podeis e tudo aquilo. É o fim da Europa, é por isso que estão a dançar e, claro, Lisboa é também o fim da Europa. A ponta da Europa. E tudo o que a Europa é e significa é empurrado para aquela ponta. Em excesso. É uma cisterna cheia, demasiado cheia, e cada vez que um navio larga, o nível de água desce um pouco. Mas quase não chega. E entretanto as comportas continuam abertas.

— Pare um minuto. De acordo com o que acabou de dizer, Lisboa é uma cisterna...

— Certo.

— Então, os refugiados são água...

— Correto.

— Mas isso significa que, quando entram no navio, o navio está a transportar água como carga. A transportar como carga o preciso elemento no qual ele navega.

— O quê, está a dizer que a minha metáfora *está a meter água*?

Desatámos os dois a rir.

— Agora, está a senti-lo?

— Creio que sim.

— Bebemos mais um pouco?

— Bebemos.

Voltou a encher os nossos copos. Naquele momento, desde há quanto tempo o conhecia? Doze horas? Catorze? É verdade: em guerra, os comboios nunca chegam a horas. E agora este, à semelhança do Wabash Cannonball, estava prestes a chegar ao seu destino — só que ainda não tinha partido. Ou teria partido no instante em que ele pisara os meus óculos?

Meia hora mais tarde, pediu a conta.

— Não tente sequer — disse ele, quando puxei da minha carteira.

Levantei-me e fiquei surpreendido por as minhas pernas ainda funcionarem.

— Para onde?

— Praia. Não, aquela aqui no Estoril está cheia de polícias. Descemos ao longo da costa, para o Guincho.

Entrámos para o carro. Durante um instante, contemplei a possibilidade de que não deveria estar a guiar naquele estado. Contemplei-a e rejeitei-a. Não sentia quaisquer sintomas de embriaguez, nenhuma tontura nem agitação nem sonolência. Ao invés, o que sentia — já alguma vez conduziram numa estrada molhada durante o inverno? Sabem aquele instante em que subitamente o carro parece descolar da superfície da terra? Era o que eu estava a sentir.

Não fazia ideia que horas eram. Havia relógios por toda a parte — no meu pulso, no painel de instrumentos —, todavia não olhei para nenhum deles. A seguir a Cascais, a estrada ficou mais estreita e mais ventosa, demasiado ventosa para comportar um veículo tão gargantuesco — e ainda assim eu manobrava-o sem qualquer esforço, como se as leis da natureza tivessem deixado de se aplicar, como se o carro tivesse subitamente adquirido uma elasticidade até então desconhecida, permitindo-lhe curvar-se como um acordeão. Mesmo quando um ciclista surgiu diante dos meus faróis dianteiros nem sequer pestanejei. Contornei-o, simplesmente. Retrospetivamente, percebo que era tudo efeito do absinto, e isto é uma das muitas razões pelas quais o absinto é perigoso. Agora, surpreende-me que não tenhamos matado ninguém, ou a nós mesmos.

Chegámos ao Guincho, onde dois ou três outros carros estavam estacionados na berma da estrada. Edward levou-me através de uma pequena mata de pinheiros-mansos em direção às dunas que desciam até uma praia em forma de crescente. Aqui e acolá, surgiam a coberto das sombras pequenos montes indistintos, onde casais dormiam ou faziam amor debaixo de mantas. A Lua ia alta.

— Vê agora o que queria dizer sobre a diferença entre o Atlântico e o Mediterrâneo? — perguntou ele, tirando os sapatos. Ondas de espuma branca batiam na orla da praia. Ele arregaçou as calças e começou a caminhar através da espuma. À medida que o seguia, tentava pôr os meus pés nas suas pegadas, para que houvesse apenas um par de pegadas.

A água atingiu os meus tornozelos.

— Está fria — disse eu, recuando, mas Edward não estava a ouvir.

— Onde a terra acaba e o mar começa — disse ele. — É Camões, o grande poeta lusitano. Ele escreveu isso sobre o cabo da Roca, na ponta mais ocidental de toda a Europa. Fica ao norte, não muito longe daqui. Olhe — Pôs as mãos sobre os meus ombros, virando-me em direção a algumas falésias na penumbra. — Consegue vê-lo?

— Não sei. Mas vou dizer às pessoas que vi.

— Sim. Vamos dizer às pessoas que vimos.

Ele não moveu as mãos.

— Pete...

— O quê?

— Posso dizer uma coisa?

— Claro.

— Nunca estive tão feliz na vida quanto neste momento.

A sua voz estava tão solene que quase desatei a rir.

— Acha que sou louco por o dizer? — continuou ele. — Quer dizer, aqui estamos nós, em Portugal, em Portugal, por amor de Deus, e, à nossa volta, tudo o que podemos ver é sofrimento e medo, sofrimento e pânico. Mas depois, quando pensamos que as pessoas que aqui estão são as felizardas só porque conseguiram aqui chegar... Que direito tenho eu de estar feliz? No entanto sinto-me feliz. Não tenho vergonha disso, também.

— Talvez seja porque está seguro.

— Sim. É impossível deixar de sentir uma sensação de alívio por saber que estamos livres de perigo. Mas o pânico e o medo dos outros, o pânico e o sofrimento dos outros... Ainda estão lá... E nós estamos alimentar-nos disso, não é? Podíamos bem admitir que estamos a alimentar-nos disso. Deveria na realidade pertencer apenas a eles, esta estranha vitalidade, esta sensação de que podemos fazer coisas que normalmente não nos permitiríamos fazer... Não temos direito a elas, porém participamos delas... E essa não é a única razão por que estou feliz. Nem é sequer a razão principal por que estou feliz. É por sua causa.

— Minha?

— Não é óbvio?

— Mas porquê? Sou tão vulgar. E você já fez tanto na vida, já andou em Harvard e Cambridge, conheceu tantas pessoas interessantes...

Ele cobriu a minha boca com a mão.

— Silêncio. Não sabe nada sobre mim. Não sabe... nada.

Estava agora tão próximo que perguntei a mim mesmo se iria beijar-me. Em vez disso, tirou o casaco. Com um movimento rápido, puxou a camisa e a gravata por cima da cabeça.

— Vamos nadar — disse ele.

— Nadar?

— Venha daí! — Ele já tinha tirado as calças e as cuecas. Com as nádegas brancas a brilhar no escuro, correu para a água, onde se pôs de joelhos, como se estivesse a rezar. Uma onda trepou por cima dele. Quando ela recuou, ele já lá não estava.

— Edward! — chamei eu.

Uns segundos mais tarde, uma outra onda cuspiu-o para a areia.

— Isto foi fantástico! — disse ele, afastando os cabelos da cara. — Venha daí!

Não hesitei. Tirei as roupas como ele fizera, sem cerimónia. Tirei os óculos. A mancha de escuridão para a qual estava a nadar podia bem ser um rochedo ou um monstro marinho. Tudo o que eu tinha para me ajudar a orientar era a voz de Edward.

— Quente — disse ele. — Frio... Quente...

Subitamente colidimos. Os pelos no seu peito estavam escorregadios como algas marinhas. Conseguia sentir os contornos do seu peito. Conseguia sentir a sua ereção.

Atrás de nós, uma onda crescia. Tentei afastar-me, mas Edward não me deixava ir.

— O que há a fazer é ficar debaixo dela — disse ele. — Agarra-te a mim.

Em seguida, puxou-me para baixo até ficarmos sentados no fundo arenoso. A onda quebrou por cima de nós. Senti-o como um levíssimo tremor.

Erguemo-nos novamente. Eu estava a rir. Ele agarrou-me na cabeça com as mãos e então, desta vez, deu-me realmente um beijo. Outra onda quebrou, afastando-nos, fazendo-nos tropeçar.

— Edward! — Chamei-o, mas ele não respondeu. Voltei-me e vi uma onda ainda maior aproximando-se e, lembrando-me do que ele dissera, mergulhei, agarrando-me ao chão oceânico.

Desta vez, senti a onda como um estrondo — tal como imaginava que um tremor de terra soasse.

— Pete! — Ouvi-o a chamar quando subi à superfície.

— Estou aqui! — respondi.

Cada um saiu aos tropeções da água. A corrente tinha-nos arrastado uns dez metros. Para chegarmos às nossas roupas, tivemos de andar para trás.

— Uma pena não termos trazido toalhas — disse ele, secando a cara com a camisa.

Pus os óculos. A água salgada tinha-os manchado. Como num desenho animado de bêbados, via bolas.

— Para onde está a ir? — perguntei a Edward que tinha agarrado na sua pilha de roupas e estava a andar na direção das dunas.

Uma vez mais, não respondeu. Talvez não me tivesse ouvido. Agarrei nas minhas roupas e segui-o até chegarmos à orla dos pinheiros-mansos. Tufos de erva irrompiam esporadicamente da areia. Edward pousou as suas roupas e caminhou até mim. Muito delicadamente, tirou-me os óculos da cara, dobrou-os e pousou-os em cima da sua pilha de roupa.

— Porque fez isso? — perguntei.

E ele disse:

— Para que possas dizer sem fugir à verdade que não viste o que estava para acontecer.

Algures

9

Eram cinco da manhã quando regressámos a Lisboa. Embora o céu ainda estivesse escuro, as estrelas tinham desaparecido. Podia sentir-se a iminência do nascer do Sol. A porta de entrada do Francfort estava fechada. Tive de tocar à campainha três vezes antes de o porteiro, aborrecido por ter sido acordado, me deixar entrar. O átrio assemelhava-se a uma igreja silenciosa. Um cartão com fora de serviço estava agora pendurado no elevador e, por isso, fui pelas escadas até ao segundo andar, onde bati timoratamente à porta do nosso quarto. Não houve resposta. Bati com um pouco mais de força. Ainda nada como resposta. Foi quando ponderava no dilema de como bater à porta com suficiente força para acordar Julia sem acordar os nossos vizinhos que ouvi um gemido e um tropeção. Parecendo um fantasma no seu pijama, Julia abriu-me a porta. O quarto estava estranhamente obscurecido, como frequentemente parecem os quartos onde os outros estiveram a dormir àqueles que estiveram fora a noite inteira.

— Tive uma dor de cabeça horrível, por isso tomei um Secobarbital — disse Julia. — Que horas são?

— Não interessa. Volta a dormir.

Ela foi a vacilar até à cama e imediatamente começou a ressonar. Fui para a casa de banho e despi-me. Dentro do bolso do meu casaco encontrei o exemplar de *A Nobre Saída* que tinha comprado na Bertrand, ainda embrulhado no seu papel castanho. Pousei-o em cima da sanita e tirei os sapatos. Estavam cheios de areia, as meias também. Quando puxei as calças para baixo, a areia espalhou-se pelo chão. Com uma escova de cabelo, tentei varrê-la — sem sucesso, porque sempre que me baixava mais areia caía de mim. Tinha grãos agarrados nos pelos do peito e das pernas. Pareciam estar a movimentar-se, como piolhos. Entrei para a banheira, onde me lavei e voltei a lavar com água tépida, mas parecia haver sempre mais alguma dobra ou reentrância onde a areia se escondia. Em breve o ralo ficou entupido. A banheira não se esvaziava. Sequei-me e vesti-me. Era evidente que Julia tinha sido vencida pelo sono, por isso fui para baixo, onde pedi ao porteiro para lhe dizer que eu iria estar na Suíça. Entretanto, o Sol havia nascido. À exceção do ocasional homem de negócios lendo o seu jornal enquanto caminhava, da varina ocasional levando o cesto com peixe à cabeça, as ruas estavam vazias. Na Suíça, os empregados, entre bocejos, estavam a acabar de tirar as cadeiras debaixo das mesas. O café que um deles me trouxe era o primeiro do dia, com borras no fundo da chávena. No passeio, os pombos andavam empertigados, com as suas penas da cor de lápis esbatido.

Tentei clarificar na minha cabeça os acontecimentos da noite anterior. O problema era que tudo estava envolto numa névoa de absinto, em que o real não podia ser facilmente distinguido do alucinatório. Talvez o próprio instinto seja uma espécie de fada verde, cujo sabor amargo nós tentamos amenizar com desculpas: estava bêbado. Era tarde. O mundo estava a acabar. Evidentemente, tais desculpas não têm substância. Mesmo quando as estamos a formular, não acreditamos nelas. Fazem parte de um ritual, tal como a garrafa e o cubo de açúcar e a colher perfurada.

Próximo da madrugada, a bruma esverdeada dissipou-se um pouco. Estávamos a caminhar de volta ao carro, com as calças arregaçadas e os sapatos nas mãos. Ainda havia uma réstia de luar que me permitiu refletir sobre como eram grandes os pés de Edward — pelo menos, o dobro dos de Julia. Em cada um dos nós dos dedos carnudos ele tinha um tufo rígido de pelos pálidos. Para um homem habituado a dormir com mulheres, o corpo de outro homem é sempre uma surpresa, não pela sua estranheza mas pela familiaridade — a estranheza da sua familiaridade. Ao tocar em Edward na praia, na escuridão, poderia ter estado a tocar em mim mesmo — e, por isso, presumi que aquilo que desejaria que me fizessem ele desejaria que lhe fizessem. E, algumas vezes, ele desejou-o, mas outras vezes não.

Um peito rijo e peludo onde deveriam estar seios macios como uma almofada; a barriga a ficar um pouco mole, mas ainda assim firme sob a camada de gordura; testículos semelhantes a ameixas, e o próprio órgão, alegre como a cauda de *Daisy*, circuncidado e exigindo por esse motivo mais do que a sua própria lubrificação para funcionar — o que era um pouco problemático, uma vez que na praia não tínhamos nada, por assim dizer, a que deitar mão, a não ser o que poderíamos fazer nas nossas bocas. E a areia insistia em entrar para as nossas bocas... Tudo isto me veio à memória enquanto estava sentado na Suíça, e o Sol retomou a sua postura de soberania perenemente enfadada, como um nadador-salvador na sua cadeira alta, e os pombos reuniram-se, em busca de novos clientes que, gratos por se encontrarem após tantos meses, numa cidade com pão para dispensar, lhes oferecessem algumas migalhas... Ou bem que estava a debater-me no sonho mais estranho que alguma vez sonhara na minha vida, ou tudo o que conhecera até então — a minha vida inteira — era o sonho, e Edward a cama quente onde eu tinha por fim acordado.

Depois vi Julia a atravessar o Rossio na diagonal. Estava com sapatos de salto alto, e, entre estes e o vestido às bolas pretas e brancas que escolhera para vestir, pensei como ela se parecia com um pombo; enquanto Iris era mais uma enorme e estranha ave aquática, um pelicano ou, como as suas colegas de escola tinham precocemente observado, uma cegonha. Julia tinha o cabelo preto preso com um laço branco.

— Queria tê-lo lavado esta manhã, mas não consegui — disse ela enquanto se sentava. — Que diabo se passou na casa de banho? Parece que foi atingida por uma tempestade de areia.

— É culpa minha, lamento. Estive na praia ontem à noite.

— Na praia! Pensei que iam tomar só uma bebida.

— E íamos. Mas depois apeteceu-nos ir até ao Estoril.

— Àquela hora? Como é que foram?

— Levámos o carro.

— O nosso carro?

— Porque não? Para que mais serve ele?

Ela afastou dos olhos um cabelo extraviado.

— Espero que tenhas encontrado um lugar para estacioná-lo quando voltaste.

— Na verdade, deixei-o na estação do Estoril. Não te preocupes, vou trazê-lo esta tarde. Bebemos bastante, por isso voltámos de táxi.

— Estou a ver. — Uma pausa, como a cinza trémula na ponta de um cigarro. — Isso é que foi uma noitada, não é?

— Estás a censurar-me?

— Nem um pouco. Na realidade, estou bastante satisfeita. Costumas ser tão bota-de-elástico, é bom saber que és capaz de uma aventura. Mesmo que não seja comigo.

A formação de hábitos é outra coisa que acelera quando se viaja. Após uma semana, o empregado da Suíça conhecia-nos o suficiente para que não tivéssemos de fazer o nosso pedido. Para Julia, trouxe uma chávena de café preto, para mim, um outro garoto, bem como um prato com esses pastéis de nata de que eu tanto gostava.

— De qualquer modo, foi divertido? — Ela estava a mexer mecanicamente o café. — Divertiste-te?

— Suponho que sim.

— É curioso, em Paris nunca tiveste muitos amigos homens.

— Bem, além dos amigos do trabalho, com quem poderia eu fazer amizade? Com o teu decorador?

— O quê, não podias ter ficado amigo do Jean só porque ele é maricas?

— O ele ser maricas não tem nada que ver com nada. Mas não tínhamos muito em comum. E eu não tinha assim tanto tempo livre, Julia. Pareces esquecer-te disso. Tinha um emprego. Nos fins de semana estava cansado. A última coisa que queria fazer era, sei lá, jogar ténis com o teu decorador.

— Mas aqui em Lisboa a história é outra, é isso que estás a querer dizer?

— Bem, tenho tempo livre. E pela primeira vez desde que consigo lembrar-me. Ao contrário dessas pobres almas que têm de estar em filas o dia inteiro em frente aos consulados. E por isso, sim, gostei da noite passada. Gostei mesmo.

— Estás a reagir como se eu estivesse a tentar tirar-te isso. Não estou.

Limpei os óculos — e lembrei-me de como Edward os tinha tirado da minha cara.

— Não gostas dele, pois não? — perguntei.

— De Edward? — Julia acendeu um cigarro pensativamente. — Bem... não diria que *des*gosto, mas ele tem um bocado a mania de que sabe tudo. Se tivesse de dar a minha opinião, diria que o acho aborrecido.

— E Iris?

— Oh, eu gosto *dela*. Ela é interessante. Quer dizer, já fez coisas tão interessantes. O que me intriga é como acabou por ficar com ele. Mas é frequente vermos mulheres que cresceram como órfãs se sentirem atraídas por homens que precisam de cuidados maternais. É o mesmo com o cão. Um modo de eles darem o que os próprios não tiveram em criança.

— Pergunto a mim mesmo porque nunca tiveram filhos.

— Oh, mas tiveram. E têm. Uma filha. Atrasada ou coisa parecida. Está internada numa instituição, na Califórnia, penso eu.

Voltei a pôr os óculos.

— Surpreende-me que ele não te tenha dito nada sobre isso — prosseguiu Julia —, dado que se tornaram tão grandes amigos.

Eu também estava surpreendido. Mas, se a filha fosse minha, teria eu falado dela a Edward?

Ficámos silenciosos. Julia tirou as suas cartas de paciência.

— Achas que tu e ele serão realmente primos? — perguntei, passado um bocado.

— Claro que não — respondeu ela. — Só porque temos familiares na mesma cidade... É ridículo.

— Ainda assim, vocês *podiam* ser primos.

Ela olhou-me diretamente nos olhos.

— Nós *não* somos primos, e agradecia-te que não voltasses a falar nesse assunto.

Juntou as cartas e distribuiu-as.

— Ele vem de uma classe social completamente diferente. O *meu* avô era banqueiro.

— O que era o avô de Edward?

— Não faço ideia.

— Mas o dinheiro dele tem de ter vindo de algum lado.

— O dinheiro dele? Presumi que era o dinheiro dela. — Subitamente, ela pôs-se a olhar por cima da minha cabeça.

— Oh, meu Deus, eles chegaram. Age como se não os tivéssemos visto.

— Porquê?

— Porque, se acenarmos ou fizermos alarido, eles irão sentir-se obrigados a sentar-se à nossa mesa, e talvez não o queiram. Não quero que ela pense que somos uns melgas.

Como uma criança apanhada a espiar, Julia baixou os olhos para as suas cartas. Sem saber para onde olhar, olhei em frente. Iris estava ajoelhada no chão, tentando, pelo que pude descortinar, retirar alguma coisa da pata de *Daisy*. Não consegui perceber se nos tinham visto.

Uns escassos minutos mais tarde, o jogo de Julia chegou ao fim. Guardou as cartas e levantou-se.

— Vamos — disse ela.

Não precisei de pedir a conta. Sabia exatamente o que tínhamos de pagar. Passámos pela mesa dos Frelengs, e Edward sorriu para nós.

— Olá, olá — saudou ele.

— Oh, olá! — disse Julia, como se estivesse surpreendida.

Depois eu disse olá. Depois Iris disse olá.

Decorreu um instante em que nos poderíamos ter sentado, ou eles nos poderiam ter pedido para nos sentarmos.

Esse instante passou.

— Bom, foi ótimo ter-vos visto — disse Julia. — Vamos, querido.

— Adeus — disse eu.

O sorriso de Edward era quase pesaroso. Com o dedo indicador, acariciou um postal que estava em cima da mesa. Era da praia do Guincho.

10

De regresso ao hotel, Julia foi para a casa de banho. Deixou a porta escancarada. Nos primeiros anos do nosso casamento, nunca teria deixado a porta aberta. E eu tão-pouco. Somente, com o tempo, o impulso para a modéstia começa a declinar, deixando no seu rasto um relaxamento, um à-vontade que é simultaneamente reconfortante e terrível. Aconteceu isso com os meus pais. Na sua velhice, não tinham quaisquer pruridos em usarem a sanita à frente um do outro — isto apesar de terem passado séculos desde a última vez que tinham dormido na mesma cama. Oh, que coisa tão estranha!

Uns minutos mais tarde, ela apareceu. Na mão, tinha o livro que eu comprara há pouco. Devo tê-lo deixado em cima da sanita.

— Quando é que compraste isto? — perguntou.

— Ontem. Ia pedir-lhes para autografarem, mas esqueci-me.

— Graças a Deus. Pete, promete-me uma coisa. Promete-me que não vais pedir-lhes para o autografarem.

— Porquê?

— Porque seria inconveniente. Nisto, tens de confiar em mim. Sei mais destas coisas do que tu.

A sua noção de decoro sempre me intrigara.

— Está bem. Não vou pedir-lhes que o autografem.

— Já começaste a lê-lo?

— Ainda não.

— Talvez lhe dê uma vista de olhos. — Tirou os sapatos e deitou-se na cama. — «O corpo de Monsieur Hellier tinha sido encontrado no seu escritório» — leu ela em voz alta. — «Havia dado um tiro na boca e o sangue espalhara-se por cima de uma primeira edição rara das *Illusions perdues* de Balzac.»

— Um início animado.

— Embora não particularmente original.

Acreditei na sua palavra. Tinha pouca experiência de romances policiais. Depois do almoço, apanhei o comboio até ao Estoril para trazer o carro. Para meu alívio, Julia não se ofereceu para me acompanhar. Estava profundamente imersa na *Nobre Saída.*

Quando cheguei, Edward estava à minha espera, encostado ao chassi, em perfeito contraponto. *Daisy* estava aos seus pés.

Abracei-o. Aparentemente, eu estava a tremer.

— Calma, calma — disse ele.

— Tinha esperança de que aqui estivesses — disse eu. — Tinha esperança, mas não tinha a certeza. Pensei nisso quando estava no comboio, e não encontrei razões para aqui estares.

— Bem, estou, e é assim mesmo. Quando é que tens de estar de volta?

— Não sei. À hora do jantar?

— Boa, isso dá-nos algumas horas.

No banco traseiro do Buick, *Daisy* deu duas voltas, como era o seu hábito, e adormeceu. Pus a mão esquerda sobre a perna de Edward. Enquanto durou a viagem, ele manteve-a firmemente ali, agarrou-a naquele lugar, devolvendo-ma apenas quando era necessário para evitar que eu batesse nalgum carro.

— Estás cansado?

— Exausto. E tu?

— Também. Gostava que tivéssemos podido passar a noite toda juntos, e não termos tido de acordar de manhã. Mas, claro, numa situação como a nossa, temos obrigatoriamente de nos levantar de manhã.

Esta foi a primeira vez em que ele usou essa palavra — «situação» — em relação a nós. Proferiu-a no tom de voz de um homem que já se encontrou anteriormente em situações semelhantes.

Estávamos a passar pela Exposição. Sob a luz do meio-dia, os pavilhões, tão assombrosos durante a noite, pareciam vulgares, provisórios. Ou seria a cidade que era provisória e a Exposição que tinha sobrevivido durante oitocentos anos?

Talvez eu não estivesse sequer a conduzir. Talvez o carro estivesse imóvel enquanto trabalhadores invisíveis movimentavam enormes cenários à minha volta.

Para testar a teoria, tirei as mãos do volante. O carro guinou e *Daisy* acordou com um pulo. Voltei a agarrar o volante.

— Mantém-te firme — disse Edward.

— Desculpa — respondeu. — Hoje, estou um pouco aéreo.

— Era de esperar. Não dormiste. E passaste por momentos de sublevação.

A que momentos de sublevação estava ele a referir-se? À guerra? À viagem para Lisboa? Ao tê-lo conhecido?

— Não estou a sentir-me verdadeiramente sublevado — respondi eu. — Isto é uma palavra?

— Se não é, deveria sê-lo.

— Não, o que eu estou a sentir é mais uma espécie de estranha calma, como a que senti quando entrámos em Portugal. É como se todos os problemas estivessem para trás das nossas costas, e não à nossa frente.

— Gostava mesmo de aprender a conduzir. Talvez me possas ensinar quando regressarmos. De onde disseste que eras?

Não tinha a certeza de o ter dito.

— De Indianápolis.

— Isso fica em Indiana, certo? Bem, claro que sim. O Midwest é território desconhecido para mim. Talvez pudéssemos ir juntos até lá de carro, para Indianápolis, e pelo caminho podias ensinar-me. Depois iríamos à Califórnia e tu conhecerias a minha mãe.

«E a tua filha?» ia quase a sair-me a pergunta, mas calei-me. Enquanto conversávamos, Lisboa já nos tinha apanhado desprevenidos. Em breve os paredões deram lugar aos familiares edifícios inclinados, às suas fachadas pintadas com extravagantes tons de azul e cor-de-rosa e verde. Glórias-da-manhã floresciam em varandas de ferro enferrujado.

— Estaciona aqui — disse Edward quando o Cais do Sodré, a estação da qual partiam os comboios do Estoril, apareceu.

— Deve ser difícil encontrar um lugar — disse eu, e nesse instante encontrei um.

— O deus do estacionamento olhou sempre para mim com benevolência — afirmou ele.

Saíamos do carro. Edward pôs a trela a *Daisy* e começou a andar. Segui-o. Tal como *Daisy*, caminhava com decisão, como se soubesse exatamente para onde estava a ir. A questão era se ele saberia exatamente para onde estava a ir — como *Daisy* não sabia.

Os táxis circulavam em redor da Praça Duque da Terceira, aparentemente por puro prazer. Alguns deles eram motociclos; os passageiros iam nos *sidecars*. Atravessámos para a Rua do Alecrim, que sobe do Tejo para o Bairro Alto numa tal inclinação que, no seu início, a rua assume a forma de uma ponte inclinada, por baixo da qual a Rua Nova do Carvalho corre como um rio. Pontes mais pequenas de escadas ligam a ponte ao casario de ambos os lados. Subimos umas destas. A porta não tinha qualquer placa. Edward tocou à campainha.

Passados uns instantes, uma rapariga com uma nódoa de vinho do porto na cara abriu a porta. Envergava um uniforme de criada francesa que bem poderia ter saído de um guarda-roupa de teatro. Beijou Edward na cara e depois afastou-se para o lado para nos deixar entrar.

Encontrávamo-nos num minúsculo átrio retangular. À nossa frente, um infindável lance de escadas subia, tão vertiginosamente quanto a própria Rua do Alecrim.

Lá fomos subindo, primeiro a criada, depois eu, e por último Edward com *Daisy*. Nunca na minha vida tinha subido escadas tão altas que não fossem interrompidas por patamares nem serpenteassem em redor de um poço de elevador.

O que aconteceria se eu caísse? Apanhar-me-ia ele? Ou deitá-lo-ia eu abaixo, indo ambos aterrar lá abaixo, numa pilha desmantelada?

A fim de evitar as vertigens, concentrei a minha atenção nas costas da criada. Tinha um avental branco atado à cintura, mesmo abaixo dos seios. Contei os degraus até chegarmos ao topo.

Entrámos para uma espécie de receção. As cortinas estavam levantadas. Naquela luz ténue, as paredes tinham a cor de figos maduros. Dispersos pela sala viam-se sofás e cadeiras forrados de veludo acastanhado com franjas, sobre os quais raparigas e mulheres, umas com vestidos de *cocktail*, outras de chinelos de seda e uma vestida somente com uns calções de seda, se reclinavam em poses de exibição. A maioria empunhava copos do que parecia ser champanhe. Umas quantas fumavam. Outras pousavam as cabeças no colo umas das outras.

Sentia-se um cheiro a amoníaco e alcaçuz. No gramofone, uma voz cantava o fado.

Reparando em *Daisy*, duas das raparigas chamaram-na. Ela foi ter com elas sem hesitar. As palavras sussurrantes que elas proferiram enquanto a acariciavam podiam bem ter sido as mesmas que usavam com os clientes. Com as suas longas unhas, coçaram-lhe a nuca, puxando-lhe a pele do pescoço. Ela pôs as orelhas para trás. Da posição de pé, colapsou e ficou agachada e, por fim, esparramou-se, com as pernas de trás esticadas.

Uma mulher de idade, corpulenta e ainda mais baixa do que a mãe de Julia, saiu do meio das sombras. Trazia mais joias do que a Madame Fischbein. Pondo-se nas pontas dos pés, beijou Edward em ambas as faces, tal como a criada.

— Esta é a Señora Inés — disse Edward, ao que ela sorriu e estendeu uma mão inchada e carregada de anéis.

— *Enchanté* — disse eu, retraindo a mão, pois os seus anéis enterraram-se-me na carne.

Ela tinha um glaucoma. No olho esquerdo. O dilema de escolher o olho a fixar — o olho que se movia ou o olho parado — reacendeu a sensação de vertigem.

— A Señora Inés é de Barcelona. Todas estas moças o são. Ela coleciona *les poupées*. — Apontou para uma prateleira de onde uma dúzia de bonecas de porcelana nos fixavam de forma sinistra.

— *Ah, oui* — disse a Señora Inés. — *Sont mes petits.*

— *Garçons?*

— *Bien sur, garçons. Ici on a trop de femmes.*

— Não é surpreendente — sussurrou Edward — o sentimentalismo em que até a mais empedernida prostituta mergulha na sua velhice?

Uma das raparigas — a que estava apenas de calções — levantou-se e aproximou-se dele. Tinha uns trinta e cinco ou quarenta anos, com as costelas a verem-se e o tipo de barriga que as mulheres magras adquirem com a idade. Tocou-lhe no ombro e murmurou-lhe qualquer coisa ao ouvido. Ele soltou uma gargalhada. Uma colega, mais nova e redonda, veio depois ter comigo e pôs os braços à volta do meu pescoço. Abriu a boca para mostrar a língua, muito cor-de-rosa e pintalgada com minúsculas bolhas.

Olhei para Edward. Estava a beijar a prostituta com os calções de seda. Isto confundiu-me. O que estávamos ali a fazer? Queria perguntar-lhe. Deveríamos ir separadamente, cada um com uma prostituta? Ou juntos, com duas prostitutas? Não teria eu compreendido nada?

Não. Ele voltou-se para a Señora Inés, que proferiu algumas palavras ríspidas em espanhol. As raparigas desprenderam-se e retornaram aos seus postos.

— Não as podemos criticar por tentarem — disse Edward. — Anda.

A criada levou-nos para outro lanço de escadas, mais estreito do que o primeiro, apesar de não ser tão longo. Terminava num vestíbulo para o qual davam várias portas. Ela rodou a chave numa destas. Eu entrei. O quarto era mais espaçoso do que o nosso no Francfort, embora tivesse um teto mais baixo. Um retrato de Virgem Maria estava pendurado por cima da cama, a qual estava impecavelmente feita, com uma colcha de seda com franjas. Ao lado, havia um armário e um toucador com uma bacia e um jarro. Os candeeiros tinham abajures cor-de-rosa, com as franjas chamuscadas.

Depois de dar uma gorjeta à criada, Edward fechou a porta à chave. Enfiou-a no bolso do peito e tirou a trela a *Daisy*. Mal esta se viu livre, pôs-se a dar voltas ao quarto, parando apenas para lamber uma nódoa no chão de azulejos.

— Não, *Daisy* — disse Edward. — É provavelmente alguma coisa repugnante. — Ele foi até à janela e abriu-a. — Vem ver.

Eu fui ver. À nossa esquerda, podia avistar-se a rampa da Rua do Alecrim e as escadas da ponte. Por baixo de nós, vários outros pisos desciam até à Rua Nova do Carvalho.

— Não é estranho? — perguntou Edward. — É porque o piso pelo qual entrámos, embora pareça, não é realmente o piso térreo. É o terceiro piso. O piso térreo é muito mais abaixo, consegues ver? Naquela rua que fica por baixo da ponte, a ponte da Rua do Alecrim.

— Como é que encontraste este sítio?

— Tenho os meus métodos. — Ele afastou-me da janela. — De qualquer modo, espero que sirva. Acredita-me, dei voltas à cabeça para me conseguir lembrar de alguma coisa melhor, mas dada a escassez de quartos de hotel vagos...

— Mas quando? Quando é que tiveste tempo para isso?

— Há mais horas num dia do que poderias pensar. — Ele tirou-me os óculos, os quais dobrou e enfiou no seu bolso. — Claro que no início ela pediu um preço ridículo, o preço que teríamos pago por duas horas *com* uma rapariga. Tive de regatear o preço com ela. — Em seguida, ele despiu-me o casaco e atirou-o para cima da cama. Tentei tirar-lhe da mesma forma o casaco, mas ele empurrou-me a mão e desapertou-me o colarinho. Novamente, tentei tirar-lhe o casaco. Novamente, ele empurrou-me a mão. Ele desatou o nó da minha gravata e puxou-me a camisa e a camisola interior, juntas, por cima da cabeça. A seguir, debruçou-se e desapertou-me os atacadores dos sapatos. A seguir, quando estava já sem sapatos, empurrou-me para cima da cama, de costas, desapertou-me o cinto e, com um gesto rápido, puxou-me as calças e as cuecas para baixo. Atirou o molho de roupas para dentro do armário que fechou, lançando a chave para o mesmo bolso onde já tinha guardado a do quarto e os meus óculos.

— Já está — disse ele, inspecionando-me. — Assim é melhor do que na praia. Não conseguia ver-te na praia. — Enquanto falava, percorreu com as mãos o meu peito, as minhas pernas, depois subiu outra vez, para o local onde a minha ereção assomava. Quando o agarrou, gemi.

— Chiu! — ordenou ele, tapando-me a boca com uma mão enquanto com a outra agarrava os meus testículos, igualmente retesados.

No momento em que a sua mão deslizou para debaixo do meu rabo, arqueei as costas e deixei escapar o som — alguma coisa entre um vagido e uma gargalhada — que acordou *Daisy*, cuja língua senti repentinamente no meu tornozelo.

— Silêncio! — disse Edward. Tirou as mãos e recuou. Olhou-me de alto a baixo, abanou a cabeça, e riu-se, quase derrisoriamente.

— Perfeito — disse ele.

Depois pegou em *Daisy* e na trela, abriu a porta, e saiu. Consegui ouvi-lo a fechar a porta do outro lado. Consegui ouvir os seus passos a descer as escadas.

Sentei-me. Os únicos sons que se ouviam agora eram os de um canto de pássaro e, mais distante, o gramofone, ainda a tocar fados.

— Edward? — chamei. — Edward!

Nenhuma resposta. Fui até à janela. Cerca de um minuto depois, vi duas figuras desfocadas, uma grande e outra pequena, emergirem da porta de entrada da casa, descerem as escadas da ponte, virarem à esquerda, em direção ao rio.

Nunca o Sol do meio-dia havia queimado os meus olhos desta forma. Era como se os raios estivessem a perfurar-me a cabeça.

Fechei as portadas e a janela e corri os cortinados. Excetuando a luz fraca do candeeiro que se infiltrava por baixo da porta, o quarto estava completamente às escuras. Tive de ir a tatear até à cama. Os lençóis tresandavam a Dettol e a perfume e a cigarros. Puxei-os para cima até cobrir o queixo. Virei-me de lado e pus o braço debaixo da almofada. Tentei ficar completamente imóvel, pois se mexesse nem que fosse um músculo do pescoço a dor na minha cabeça tornava-se insuportável.

Tendo em conta as circunstâncias, estava surpreendentemente calmo. É o que muitas vezes sucede em momentos de crise. Compreender os atrasos por trás da experiência. O motor especulativo leva alguns minutos a começar a funcionar. Mal começa, o ritmo dos seus rotores tem um efeito estranhamente calmante.

Pus as possibilidades em cima da mesa, tal como Julia fazia com as suas cartas. Talvez Edward fosse um espião e tivesse encenado este elaborado logro com a intenção de fazer chantagem, para induzir-me a trair o meu país. Ou talvez fosse um trapaceiro, e quando recuperasse as minhas roupas constataria que a minha carteira e o passaporte tinham desaparecido. Em ambos os casos, Iris estava provavelmente feita com ele — o que acarretava que toda aquela história de eles serem os autores dos romances era mentira. Eles não eram Xavier Legrand. Pois não era essa precisamente a marca do bom vigarista — ele apresentar-se como credível a toda a prova? E, refletindo sobre isso, tínhamos de reconhecer que tudo fora conduzido de forma bastante inteligente. Porque, como poderia eu ir atrás dele, quando estava despido, fechado à chave num quarto de um bordel sórdido, com as minhas roupas enfiadas dentro de um armário cuja chave se encontrava no bolso dele? E não era apenas a chave do armário, mas também a chave do quarto! Oh, e os meus óculos! E pensar que, não fora o caso de ele os ter pisado na Suíça, nunca teria existido uma «situação».

Cerrei os olhos. A palpitação na minha cabeça piorou. O Dettol cheirava como borracha queimada. Podemos pôr tampões nos ouvidos para tapar o barulho, uma máscara por cima dos olhos para tapar a luz. Mas o que podemos fazer para tapar um cheiro? No entanto, adormeci.

O próximo barulho que ouvi foi o de uma pancada na porta. Vozes femininas gritavam em espanhol. Tenho o hábito de ser uma pessoa absurdamente consciente do tempo. Nunca na minha vida usei um despertador. Se tenho de acordar a uma hora determinada, acordo a essa hora. Quando acordo a meio da noite, sei sempre exatamente que horas são.

Agora, porém, não fazia ideia.

Quase que me levantei — depois lembrei-me que, à exceção das meias, estava nu. Do outro lado da porta, vozes injuriavam.

— *Je ne peux pas ouvir la porte* — disse eu. — *Je n'ai pas la clé.*

Não compreenderam.

— Não tenho a chave. *Je n'ai pas la clé.*

Discussão sussurrada. Depois silêncio.

A voz seguinte era a de Señora Inés.

— *Monsieur, c'est l'heure. Devez sortir.*

— *Je n'ai pas la clé. Monsieur, l'autre monsieur, a pris la clé. Il est sorti.*

— *N'avez pas la clé?*

— *Je n'ai pas la clé.*

Mais discussão. Depois passos. Depois, devem ter desencantado uma chave-mestra, porque em breve a porta se abriu. A Señora Inés entrou. Foi direita à janela, abriu os cortinados e as portadas, depois virou-se e ficou a olhar para mim, com os braços cruzados sobre o peito. Sem dúvida, o espetáculo de um homem nu a puxar para cima os lençóis para se tapar era algo com que ela estava familiarizada. E, ainda assim, tinha uma expressão constrangida.

Um olho fitava-me fixamente; o outro olhava ligeiramente para a minha esquerda, como se para ver o que estava fora da janela.

Eu disse:

— *Mes vêtements, ils sont dans l'armoire. Je n'ai pas la clé de l'armoire.*

— *N'avez pas la clé de l'armoire?*

— *L'autre monsieur a pris toutes les clés, toutes les deux.*

O facto de a chave do armário estar desaparecida colocou aparentemente uma dificuldade maior do que a chave da porta desaparecida. A Señora Inés mandou chamar a criada, que, ao entrar no quarto, desatou a rir-se. A Señora Inés ralhou-lhe e ela calou-se. Foram dadas instruções e a criada saiu. A Señora Inés cruzou novamente os braços e perscrutou-me com o olho que mexia. Estaria ela também dentro do esquema de Edward? Parecia pouco plausível. Tanto quanto me era dado saber, a fuga dele deixara-a tão perplexa quanto a mim.

A criada acabou por regressar. Trazia uma meia dúzia de chaves, cada uma das quais ela experimentou na fechadura do armário. À terceira acertou.

A Señora Inés mandou-a sair. Tirou as minhas roupas do armário e estendeu-as sobre a cama, numa atitude implacavelmente solícita, como a de uma enfermeira. Mal as roupas ficaram arranjadas, saiu e fechou a porta. Levantei-me e vesti-me. A cadeira onde me sentei para atar os sapatos era ridiculamente baixa. Para meu espanto, quer a minha carteira quer o meu passaporte estavam no bolso do casaco, onde os tinha deixado.

Mal me recompus, saí para o vestíbulo. Praticamente não conseguia ver nada. Tive de ir a tatear o caminho pelas escadas abaixo até ao salão. Em silêncio, as prostitutas observaram-me, para se certificarem de que eu estava a sentir a magnitude do seu desprezo.

A Señora Inés estava atrás do bar.

— *Combien?* — perguntei, levando a mão à carteira.

Ela abanou a cabeça.

— *Monsieur Edward a déjà payé.*

— *Merci* — disse eu.

Agora, o desafio mais difícil: as escadas. Agarrando-me ao corrimão, fiz a descida como se fosse um inválido. Ninguém se ofereceu para me ajudar. Mas, na verdade, ninguém poderia ter-me ajudado — as escadas eram demasiado estreitas para duas pessoas descerem lado a lado.

Quando me aproximei da porta, a luz tornou-se mais forte. Perguntei-me como iria explicar a Julia ter perdido o segundo par de óculos. Pelo menos, não teria de lhe dizer que também me tinham roubado o dinheiro e o passaporte. Ou talvez essas notícias lhe agradassem? Porque ela era sagaz, a minha Julia. Rapidamente, ela calcularia que, entre o telegrama que eu teria de enviar a pedir mais dinheiro e o novo passaporte que teria de arranjar, acabaríamos por perder a largada do *Manhattan*. E, na minha avidez de conseguir o perdão dela, poderia até aceder ao seu desejo e ficar em Portugal.

Consegui chegar até ao patamar. Abri a porta e pus o pé lá fora. Para minha grande surpresa, estava a chover. O céu, tão brilhantemente azul durante toda a semana, estava agora de um cinzento carregado.

Desci aos tropeções as escadas de ferro, até ao passeio. Gotas carregadas caíam como chumbo de caça. Um borrão de tráfego humano passava à minha frente. Quando surgiu um espaço livre, mergulhei nele.

Virei à esquerda, na direção do rio. Edward estava a caminhar na minha direção, acompanhado de *Daisy*.

Ele sorriu.

— Contente por me ver? — perguntou.

— O quê? — respondi.

— Estás contente por me ver?

Gritei e dei-lhe um murro na cara. Ele cambaleou para trás e caiu. *Daisy* ladrou. Agarrei-o pela lapela, que senti a rasgar-se, e levantei-o do chão.

— Estupor — disse, e esmurrei-o novamente. Novamente, ele caiu, novamente o puxei para cima. Ele coxeava como uma boneca de trapos — e sorria.

— Que tipo de jogo é que estás a jogar?

— Nenhum jogo.

Dei-lhe um terceiro murro. Por esta altura, *Daisy* tinha entrado em pânico. Puxava pela trela, ladrava, mordendo-me os calcanhares.

— Dá-me os óculos — disse eu. Ele entregou-mos. Pus os óculos e a cara dele ficou focada. Sangue escorria-lhe da boca para a camisa.

— Podemos voltar para dentro? — perguntou ele. — Tenho de pôr gelo no maxilar.

— Não respondeste à minha pergunta.

— É possível que tenha um dente partido.

— Credo. Está bem, vem.

A criada, quando abriu a porta, olhou para nós do mesmo modo que alguém olharia para um par de macacos aos pulos. Não sei como consegui levar Edward pelas escadas acima, agarrando-o por trás, para o caso de cair, pois ele estava longe de se aguentar nas pernas. Mais tarde, viria a descobrir que ele tinha feito uma entorse bastante má. Chegámos lá cima, onde a Señora Inés nos aguardava. Edward pediu um saco de gelo, o que lhe foi fornecido. Durante uns breves minutos, ele e a Señora Inés falaram num francês rápido, o tom dele apaziguador, o dela severo inicialmente, depois agastado, por fim rendido.

Edward deu-lhe algumas notas que ela enfiou no decote.

— Podemos ter o quarto para nós mais uma hora — disse-me.

Ele ainda tinha as chaves. Ambas. Passou-mas e subimos as escadas.

Uma vez dentro do quarto, tranquei a porta. Tirei a trela a *Daisy*.

— Vem cá — ordenei e afastei-lhe o pacote de gelo da cara. — Abre a boca.

Ele acedeu. Pus o meu dedo dentro da sua boca, percorri as extremidades dos dentes.

— Nada está partido — disse eu —, mas vais ficar com uma ferida a sério.

— Espero que sim.

Empurrei-o para baixo até ele ficar deitado de costas e pus-me em cima dele. Beijei-o rudemente, sabendo que o beijo iria magoá-lo.

— Não sorrias — disse eu — ou bato-te outra vez.

— Não me batas outra vez — pediu ele.

Essas eram as palavras que eu precisava de ouvir. Apertei-lhe a gravata à volta do pescoço, quase sufocando-o. E depois desapertei-a.

11

— Não devia ter-te batido.

— Sim, devias. Mereci-o.

— Na verdade, mereceste. Porque é que te foste embora daquela forma?

— Porquê? Não sei. Estava a olhar para ti... e pensei: *Isto é perfeito. Isto é o que quis desde o início.* Por isso, fui-me embora.

— Era o que querias, por isso foste-te embora?

— Bom, qual era a alternativa?

— Podias ter ficado.

— Mas assim o momento teria ficado perdido. Ao ir embora, preservei-o, por assim dizer. E não apenas para mim. Para ti. Sabia que, quando te voltasse a ver, ias querer mais. E quiseste. *Daisy*, não.

— Pensei que tinhas planeado tudo. Que eras um espião ou um burlão. Que tinhas roubado o meu dinheiro, o meu passaporte.

— Sim, olhando para trás, percebo porque é que ficaste a pensar isso.

— O que mais poderia eu ter ficado a pensar?

— Oh, uma série de coisas. Por exemplo, que eu tinha saído para ir beber uma cerveja ao British Bar, conheces o British Bar?, e que perdi a noção do tempo. O que, já agora, é extremamente fácil de acontecer no British Bar, uma vez que há lá um relógio, é muito famoso, em que os números estão escritos para trás. Por isso, por exemplo, se forem cinco e um quarto, o ponteiro dos minutos estará sobre o nove e o ponteiro das horas sobre o sete. Acho que acertei.

— Mas como é que poderia saber isso? Especialmente, quando me deixaste aqui fechado e fechaste as minhas roupas à chave?

— Foi, não foi? Foi excitante. Tive-te por fim em meu poder.

— Então *tiveste* uma razão.

— Olhando para trás, parece que sim. Iris teria dito certamente que sim. É a sua visão do mundo. Ela acha que tudo tem um enredo, enquanto a minha visão do mundo é a de que tudo acontece por acaso e as pessoas agem sob impulso, e só depois, quando olhamos para trás, é que vemos um padrão. Julgo que a questão se resume a quais são as partes que iluminamos, não sei se estás a seguir o meu raciocínio. A minha grande falha é que não consigo lidar com o tempo. Quero combater a degradação que a memória sofre às mãos do tempo. E o esforço é infrutífero, porque, já reparaste?, são as memórias que escrutinamos com maior avidez as que mais rapidamente se desvanecem, que mais rapidamente são eclipsadas por... Como designá-lo? Uma espécie de memória-ficção. Como um sonho. Enquanto as coisas de que nos esquecemos completamente, as coisas que nos visitam furtivamente a meio da noite, passados trinta anos, são tão estranhamente vívidas. *Daisy*, por favor!

— Que horas são?

— A pergunta, entre todas as perguntas, que eu mais abomino. Dez para as sete.

— Céus, o que irá Julia pensar?

— Dependerá do que lhe disseres.

— Devíamos ir andando. Eu não quero ir.

— Se quiseres, posso perguntar se podemos ter o quarto por mais uma hora.

— Daqui a uma hora, será o mesmo. Continuarei a não querer ir embora.

— Então agora somos como todos os outros estrangeiros em Lisboa. Onde temos de ficar, não queremos estar. Onde queremos estar, não podemos ficar.

— Se dependesse de mim...

— Depende de ti.

— Não inteiramente.

— Mais uma hora pode depender de ti.

— Meia hora?

— Claro. O que é afinal meia hora?

— Mas elas vão-se somando.

— Não, não vão. Não vão mesmo.

12

— Estavas destinado a Iris.

— A Iris?

Edward acenou afirmativamente com a cabeça. Encontrávamo-nos sentados a uma mesa recuada no British Bar, na Rua Bernardino Costa. No famoso relógio, o ponteiro das horas estava sobre o quatro, o ponteiro dos minutos entre o seis e o sete. Tínhamos aqui vindo para adiar, só por um pouco mais, o inevitável reencontro com as nossas mulheres.

— Podia ter acontecido desse modo, se não fossem os teus óculos. Alguma coisa nos teus óculos... Eles fizeram-me querer que ficasses para mim.

— Não compreendo — disse eu, embora, retrospetivamente, me aperceba de que compreendi, de que talvez tivesse compreendido desde o início.

Então contou-me a história. Após um ano de ele e Iris terem casado, ela engravidou.

— E a gravidez foi terrível. Ela quase morreu, o bebé também. Talvez tivesse sido preferível que tivesse morrido.

— Iris?

— Não. A bebé. A nossa filha, estás a ver, é o que antigamente as pessoas chamavam de fraca da cabeça. Uma imbecil.

Prefiro realmente estes termos antiquados, não achas? São tão mais... revigorantes.

— Lamento.

— Bom. Ela vive agora na Califórnia com a minha mãe. Mas isso é outra história. A questão é que, depois de ela ter nascido, Iris ficou com o pavor de voltar a engravidar. Porque estava convencida, absolutamente convencida, de que o estado da nossa filha, como eles dizem, se devia às circunstâncias do parto. E assim, nós simplesmente... parámos. O sexo, quero dizer. Não que tivéssemos feito algum acordo. Foi mais uma questão de... mútuo consenso tácito. E depois a outra decisão, a de internar a criança na instituição, foi Iris que a tomou. Como mãe, tinha o direito de o fazer. E não é que ela se tenha sentido confortável com isso. Para ser franco, sentiu-se bastante culpada. Ainda hoje se sente.

»Na altura estávamos a viver em Nova Iorque. A menina tinha três anos. Não conseguia falar, mal andava. Por isso, levámo-la de comboio até à Califórnia, ela adorou aquela viagem. Acredito mesmo que aqueles foram os dias mais felizes da sua vida e, pensando nisso, também naquela altura percorri o comboio todo com ela. Depois deixámo-la com a minha mãe, regressámos a Nova Iorque e apanhámos o navio para França, onde começámos a levar a boa-vida, acho que é assim que é chamada.

— E a vossa filha? Não pensavas nela?

— Bom, claro que *pensava* nela. O problema é que isso era a única coisa que eu podia fazer, pensar nela... Mas estou a desviar-me da questão que é explicar-te porque estavas destinado para Iris. Pareces tão surpreendido. Como se a ideia nunca te tivesse ocorrido. Bom, porque é que achas que falava na roupa interior dela?

— Queres dizer que foi planeado? Que o planearam entre vocês os dois?

— De certo modo. É uma espécie de... combinação que temos entre nós. Já há vários anos. Le Touquet, essa foi a primeira vez. Na realidade, foi com Alec Tyndall, o tipo que apostou comigo que conseguia escrever um romance policial em menos tempo do que eu. O que acaba por provar que cada história tem na realidade mais do que parece à primeira vista. Iris mais uma vez tem razão.

— Espera, o que é que se passou com esse Tyndall?

— Bom, estávamos no bar do hotel, ambos muito bêbados. Tínhamos estado a beber durante horas. Iris tinha ido para a cama e a mulher de Tyndall estava, como se costuma dizer, indisposta. Pusemo-nos a conversar, a contar histórias ordinárias um ao outro. Ele era realmente um tipo com uma mente bastante porca, o Tyndall. Os ingleses normalmente são assim. Queria ouvir histórias porcas e, claro, fiz-lhe a vontade. Contei-lhe toda a espécie de coisas sobre Iris. Algumas eram mesmo verdadeiras. E depois, quando vi que ele estava a ficar muito excitado, passei-lhe a chave por cima da mesa. A chave do nosso quarto. E sugeri que ele simplesmente... subisse e entrasse.

— A Iris sabia?

— Oh, não. Ela não fazia ideia. Agi levado por um impulso, assumindo, oh, sem dúvida, um risco gigantesco... Só que de alguma forma sabia que não era realmente um risco. E tinha razão. Ele passou com ela a noite inteira. Já mencionei que a *Daisy* estava comigo no bar? *Daisy*, a minha companheira de peito de tantas *madrugadas*[1]. Andámos acima e abaixo pela alameda até ao amanhecer, não foi, *Daisy*? Até vermos as luzes a acender no quarto. A Iris a abrir os cortinados.

— O que é que ela disse?

---

[1] Em português, no original. *(N. da T.)*

— Não disse nada. Limitou-se... a olhar para mim. A expressão na sua cara... quase um sorriso forçado.

»Bem, isso foi assim que começou. Mas atenção, nunca foi uma coisa que acontecesse com regularidade entre nós. Só umas poucas vezes por ano. Nem tão-pouco correu sempre tão bem como correu com o Tyndall.

— E era isso que deveria ter acontecido comigo?

— Bom, porque é que achas que ela levou a Julia daquela forma para o veterinário? Porque é que achas que ela disse para a Julia nos deixar ir sozinhos tomar uma bebida?

— Não acredito no que estou a ouvir.

— Não, não é nem um pouco verosímil, pois não? Não é, por exemplo, tão verosímil quanto eu ser um burlão.

— É por isso que me estás a contar isto? Porque ficaste chateado por eu pensar que eras um burlão?

— Chateado! Porque deveria estar chateado? Porque deveria eu, com a minha camisa ensanguentada e o meu lábio inchado e o mundo a acabar, estar chateado? Não estou a ser sarcástico, estás a entender?

— Sim.

— Além disso, precisas de saber.

— Porquê?

— Porque a Iris sabe.

— Contaste-lhe?

— Não precisei. Ela adivinhou.

Olhei novamente para o relógio. Não conseguia interpretá-lo. Não conseguia mais interpretar o tempo.

— Mas o que é que ela irá fazer? Meu Deus, e se conta a Julia?

— Oh, não fará isso. Na verdade, foi a primeira coisa que ela disse, que Julia nunca deveria descobrir.

— Podias ter mencionado isto antes.

— Teria feito alguma diferença?

— Não.

— Precisamente. O problema, meu amigo, é que esta coisa, este caso, vamos chamá-lo pelo seu nome, é sério. É importante. O que eu quero dizer é que se fosse só divertimento e brincadeiras na praia, um murro na cara, a eventual tarde passada num bordel, seria uma coisa... Mas, entendes, começo a ter uns pensamentos loucos em relação a ti. Por exemplo, quero dançar contigo. Não é louco?

— Não. Já pensei a mesma coisa.

— E não uma dança qualquer. Uma dança antiquada. Uma valsa.

— Isso seria um espetáculo a sério.

— Homens adultos a dançarem juntos... Eu sei, é ridículo. Ridículo e, contudo, um tanto comovedor, quando se pensa nisso.

— Edward, isto já te tinha acontecido?

— Estritamente falando... Mas como podemos falar estritamente destas coisas? Houve as habituais brincadeiras no colégio interno, claro. E depois em São Francisco, quando estava a visitar a minha mãe, tivemos uma discussão, e eu saí disparado e fui a um bar. E mesmo apesar de ser ainda menor o homem serviu-me. Conheci um marinheiro. Ele estava a cair de bêbado. Foi assim que fiquei com a cicatriz na cara.

— O que aconteceu?

— Não interessa. De qualquer modo, é tudo. Toda a minha experiência de sodomia, até agora. E tu?

— Eu? Nada. Nunca.

— Estás a gozar.

— Não.

— Nem mesmo na universidade?

— Wabash era um local muito próprio.

— Mas parecia que para ti era tudo muito natural.

Não respondi. Senti-me embaraçado. O instinto embaraçava-me, tendo entrado em campo desta forma tão tardia.

Chegou por fim o momento em que já não podíamos adiar mais a separação, por isso pagámos a conta e saímos. Tinha parado de chover. Uma neblina subia da calçada. Em breve a Rua Bernardino Costa deu lugar à Rua do Arsenal, famosa pelas suas lojas de bacalhau seco. Nos passeios, tiras retorcidas estavam penduradas em ganchos. Pareciam esponjas ressequidas, cheiravam a amoníaco. Antes, no bordel, tinha tomado o que o meu irmão George chamava um «banho de puta», passando um pano molhado entre as pernas. Agora um suor pegajoso cobria o meu torso. Quando voltei para o hotel, o primeiro obstáculo a superar seria enfiar-me na casa de banho antes que Julia conseguisse cheirar-me.

À frente da porta giratória do Francfort, eu e Edward demos um aperto de mão.

— Amanhã? — disse ele.

— Onde? — disse eu. — Quando?

— Que tal pelas quatro? Não, três e meia. No British Bar.

A perspetiva excitou-me. Assenti.

Ele afastou-se na direção do Elevador.

No átrio, quando passava à frente da receção, vi que a chave do nosso quarto estava pendurada no gancho.

— A minha mulher saiu? — perguntei ao Senhor Costa.

— Está fora desde as duas horas — respondeu ele. — Uma senhora inglesa veio buscá-la para sair.

— Era alta, essa senhora inglesa?

— Muito alta.

Agradeci-lhe e subi. Na minha ausência, o quarto tinha sido arranjado. As almofadas estavam fofas. O mais estranho de tudo é que nem uma única peça de roupa de Julia estava à vista.

Seria possível que ela na realidade tivesse partido? Levado as suas coisas?

Não. Sobre o toucador, estava montada a obrigatória paciência. La Belle Lucie, na qual as cartas são estendidas em leque.

Devia estar no meio de um jogo quando Iris veio ter com ela.

Despi-me, enfiei as minhas roupas numa mala — mais tarde, quando Julia não estivesse a olhar, levá-la-ias para lavar — e fechei-me dentro da casa de banho. Para meu grande alívio, havia água quente na banheira. Um resíduo acinzentado escorreu-me pelos braços e pelas pernas abaixo.

Depois de me secar, vesti umas cuecas e uma camisola interior limpas. Pensando que podia descansar durante dez minutos, estendi-me na cama, por cima da colcha.

À meia-noite, o som de sinos de igreja acordou-me. O quarto estava escuro.

Nenhum sinal de Julia.

Enfiei-me debaixo dos lençóis e voltei a adormecer.

À uma da madrugada, ouviu-se uma pancada na porta.

Abri-lhe a porta. Ela cheirava a cigarros, a gim, a um perfume que não era o dela.

— Peço desculpa por chegar tão tarde — disse ela. — Estavas preocupado? Deves ter ficado preocupado.

— Estava, muito.

— Eu sabia. Iris disse que não ficarias, mas eu sabia que ficarias.

Deu-me um beijo no nariz.

— A tua mulher — disse ela — teve um dia verdadeiramente extraordinário.

13

De uma noite para a outra, os nossos papéis tinham-se invertido. Tal era, pelo menos, a visão de Julia. Agora era ela, não eu, quem tinha estado fora até às tantas; ela, não eu, quem trazia a fragrância do mundo público para a nossa cama privada; ela, não eu, quem, como ela disse, «tinha algumas explicações a dar».

E como ela desejava explicar! Mesmo enquanto se lavava, ouvia a sua voz atrás da porta da casa de banho, embora não conseguisse entender as palavras. Por fim, acabou por se meter na cama, e foi como se um lingote incandescente, acabado de tirar da fornalha, estivesse a fazer pressão sobre as minhas costas. Pois ela estava sempre quente, a minha Julia. Dormir com Julia era como dormir com alguma fabulosa criatura, minúscula e sobreaquecida, um daqueles cães sem pelo que no México são usados como botijas de água quente. Antes de Edward, isto tinha-me excitado. Fazer amor com Julia tinha sido como um sonho febril, no qual eu cresci desmesuradamente, enquanto ela encolheu até ficar do tamanho de uma pequena e feroz Polegarzinha, a cujas súplicas eu não tinha outra escolha senão aceder... E agora eu queria afastá-la de mim. Ao seu toque, comecei a suar. Temi agitar-me durante

a noite e esmagar-lhe o nariz, rolar para cima dela e esmagá-
-la até à morte durante o meu sono.

— Oh Pete, o que posso fazer para te compensar? — perguntou ela na manhã seguinte, enquanto estávamos à espera do nosso café na Suíça.

— Compensar-me pelo quê? — disse eu.

— Por ter estado tão impossível durante estas últimas semanas. Tão difícil. Sobre os quartos de hotel e por aí adiante. E depois ontem à noite, por ter saído até tão tarde... Estavas terrivelmente preocupado? Foi por isso que não me perguntaste onde estive?

— Imaginei que, se quisesses contar-me, contar-me-ias — respondi, fingindo um tom magoado.

Ela pousou as mãos sobre as minhas.

— Oh, meu pobre querido, estás a ser tão petulante. *Deves* ter ficado mesmo preocupado.

Petulância poderia refletir, tanto como outra palavra qualquer, o que eu estava a sentir. Encolhi os ombros.

— Comove-me ver-te assim. E ontem disse a Iris, a sério que disse, «Iris», disse eu, «pela forma como me tenho comportado, ele irá provavelmente sentir-se aliviado por eu lá não estar. Talvez fique com esperança de que eu tenha desaparecido para sempre».

— E o que disse Iris?

— Que eu estava a ser tonta. Autodramatizando. E tinha razão. Uma coisa se pode dizer de Iris, ela não tem papas na língua. Consegue fazer-nos sentir diminuídos, mas cuidadosamente. Sem nos magoar.

— Estás a querer dizer que ela é revigorante por ser tão verdadeira?

— Não exatamente. O que eu penso é que ela tem um modo de olhar para as coisas, um modo de que nunca nos lembraríamos, se ela não o tivesse sugerido. Mas depois, quando olhamos mesmo para as coisas desse modo, elas ganham uma espécie de novo sentido.

— E qual é o novo modo de ela olhar para ti?

— Bem, acha que estou zangada com a minha família e que todos estes anos estive a descarregar isso em cima de ti. O que é absurdo e injusto, porque foste tu que me afastaste da minha família. Se não tivesses sido tu, não sei o que teria sido de mim. E no entanto, pelo modo como me tenho comportado... como se estivesse no teu poder mudar as coisas... Mas agora vou compensar-te por tudo, Pete. Prometo. A partir de agora vais ver que sou uma mulher mudada.

Inclinou-se para trás, quase exultante no seu arrependimento. Já repararam em como certos cães, quando lhes falamos numa voz diferente da habitual, quando usamos com eles uma voz de falsete, ou miamos como um gato, ficam profundamente perturbados? Eu sou assim. Incomoda-me quando as pessoas não parecem elas mesmas. Cinismo, até mesmo hostilidade declarada, eu já estava habituado a receber de Julia, mas sinceridade... fez-me estremecer.

Depois ela contou-me a história. Parece que, mal eu saíra para ir buscar o carro ao Estoril, Iris se tinha abatido sobre ela. «Abatido», foi a palavra que ela usou.

— Bom, eu estava a fazer umas arrumações, a pensar que talvez fizesse uma sesta, quando repentinamente o telefone toca e é o Senhor Costa a dizer que estava uma senhora lá em baixo que me queria ver. Por isso desci e vi que era Iris. Ela disse: «Traz o chapéu, vamos fazer uma expedição.» E eu perguntei: «Que espécie de expedição?» Ela respondeu «Não importa, vai buscar o teu chapéu.» Por isso fui buscar o chapéu e saímos. Ela tinha um carro à nossa espera. Tinha alugado um carro. E lá fomos nós de carro até Sintra. E, Pete, é a terra mais encantadora do mundo! Como uma vila montanhesa em Itália, mas mais verde. Sem ser tão pedregosa ou severa.

E o ar! Conseguimos até *saborear* como o ar ali é límpido. E tem as vistas mais espetaculares, e um velho hotel, Byron ficou lá. E um palácio. Tomámos chá, no exterior, num jardim tão bonito, com rosas em trepadeiras, e comemos aqueles pastéis deliciosos de queijo que são uma especialidade local. E conversámos. Sobre Paris e Nova Iorque, sobre as nossas infâncias e sobre ti e Edward. Contei-lhe a nossa viagem desde Paris, e foi então que ela me deu um raspanete divertido, frisando que não importa aquilo por que passámos, que era muito pior para outras pessoas, aquelas pobres criaturas sem cidadania, sem país, porque, ao contrário destas, pelo menos os nossos passaportes servem para alguma coisa.

— Mas isso foi precisamente o que eu disse no jantar. No jantar, discutiste comigo.

— Eu sei que sim. Provavelmente porque, tenho de admiti-lo, eras tu que o estavas a dizer. Mas desta vez, talvez porque só estivéssemos as duas, e ela me tivesse mostrado como eu tinha sido horrível, eu ouvi.

— Uma operadora de milagres, essa mulher.

— Não faças pouco dela. Não é que ela seja uma santa. Eu é que sou uma tonta obstinada. E quando pensamos o que ela teve de passar! Órfã tão jovem, e depois a tragédia da filha.

— Oh, sim, a filha.

— Sabes, parte-se-lhe o coração o facto de não ter podido educar a própria filha. Sobretudo porque, pelo que me contou, a rapariga é linda. Uma beleza. Mas a mente... não está lá. «Uma página em branco», disse Iris... Bom, por essa altura já estava a ficar tarde e eu disse que tinha mesmo de regressar, para não ficares preocupado; mas ela afirmou que no final de contas tu irias ficar contente por eu estar a revelar maior independência, que em Portugal as pessoas têm horários tardios, e portanto para quê a pressa? Em vista disso, demos um passeio pela vila e foi enquanto andávamos por lá... Agora, Pete, promete-me que não ficas zangado.

— O quê?

— Promete só que não perdes a cabeça. Porque depois de refletires melhor sobre isso, tenho a certeza de que irás compreender...

— O quê, por amor de Deus?

Ela inspirou profundamente.

— Aluguei uma casa.

— Uma casa?

— Em Sintra. Pete, é simplesmente maravilhosa! Demos com ela completamente por acaso. Havia um portão com hera a crescer por cima e uma tabuleta a dizer PARA ALUGAR. Parámos, e eu estava a olhar pelo portão, mais ou menos a sonhar, quando Iris sugeriu: «Porque não tocamos à campainha?» E respondi: «O Pete vai matar-me.» E ela disse «Fazer perguntas não faz mal a ninguém.» Assim fizemos, e a governanta abriu-nos a porta. Os donos são ingleses. Estão neste momento em Londres, o marido está a fazer algum trabalho relacionado com a guerra, e eles estão a alugar a casa ao mês. Só até a guerra terminar, compreendes. Uma vizinha fez-nos uma visita guiada, uma senhora portuguesa, muito culta. Falava um francês perfeito. E, Pete, é simplesmente um requinte! O arquiteto é alguém famoso. Esqueci-me do nome dele. Iris deve lembrar-se. Não fez apenas a planta da casa, como fez ele próprio toda a mobília. Cada uma das peças. À mão. Umas coisas belíssimas, em carvalho e pele, sem arrebiques. Jean iria adorar. Por isso perguntei pelo preço e, Pete, era tão *barata* que... Atirei-me de cabeça. Aluguei-a.

— Que queres dizer com isso, aluguei-a?

— Isso mesmo. Aluguei-a.

— Não estás a dizer que entregaste mesmo o dinheiro...

— Só do primeiro mês, porque era tudo o que tinha comigo. Disse que esta tarde...

— Assinaste alguma coisa?

— Só um recibo.

— Não um contrato?

— Não, não um contrato.

— Tens a certeza de que não era um contrato?

— Claro que tenho a certeza de que não era um contrato. O que é que achas que eu sou?

— Anda. Levanta-te. — Atirei algumas moedas para cima da mesa.

— Porquê? Para onde vamos?

— Recuperar o teu dinheiro.

— Mas eu não quero o meu dinheiro de volta... Pete! Estás a magoar-me! Oh, eu sabia que seria assim. Eu sabia. Iris disse que tu acabarias por aceitar, mas eu disse... Para! Onde estamos a ir? Pete, por favor!

Eu não abrandei. Praticamente arrastei-a até ao Cais do Sodré. Depois de uns minutos ela desistiu de oferecer resistência, embora gemesse intermitentemente, num misto de tosse e de gemido, e fingisse estar sem fôlego.

— Pete, se ao menos me *ouvisses*...

Tínhamos chegado ao carro.

— Vá, entra.

— Não! Não vou entrar.

Mas entrou.

— Pete! Não tens o direito de fazer isto. Nenhum direito. Nem sequer me deste o benefício da... Nem sequer escutaste o que tinha para dizer. Não sou uma idiota. Pensei bem nisto.

— O que queres dizer é que a Iris pensou bem nisto por ti?

— Não, *não* é isso que quero dizer. Penso pela minha própria cabeça, apesar de pareceres tê-lo esquecido. O que se passa é que conversámos sobre isto com a vizinha e ela está convencida de que Portugal é um local inteiramente seguro para esperar que a guerra acabe... o que, segundo ela, não demorará mais do que uns meses... e ela sabe isso através de informações que vêm de cima. Do dono da casa. Que conhece Churchill.

— Santo Deus!

— O quê?

— Julia, não percebes que essas pessoas estão a enganar-te? A dizer-te o que queres ouvir?

— Não é uma questão do que *eu* quero ouvir, mas sim do que *tu* queres ouvir. Por algum motivo, tu não queres ouvir nem por nada... Abranda! Estás a guiar como um louco. És tu que te recusas absolutamente a considerar sequer a possibilidade...

— Qual possibilidade? Já foste até ao consulado americano nos últimos tempos? Se Portugal é esse paraíso, porque estão todas aquelas pobres criaturas à espera, durante horas a fio, sob o sol abrasador, à espera de um visto?

— Sim, mas há outras pessoas... Por exemplo, há um romeno, a quem esta vizinha estava prestes a arrendar a casa quando eu apareci. E foi por isso que tive de agir tão rapidamente, para ficar com a casa antes que fosse ele a ficar.

— E acreditaste nela?

— É claro que acreditei nela. Porque não haveria de acreditar?

— Porque é um dos truques mais velhos do manual! Inventar outro cliente para pressionar o cliente que se tem.

— Não sejas absurdo. Ela não é uma vendedora de carros.

— Obrigado.

— Não quis dizer isso. Mas porque haveria ela de mentir?

— E é judeu, esse putativo romeno?

— Não sei. Não perguntei.

— Porque tu és, no caso de o teres esquecido.

— Também sou americana. E como a Iris disse, se somos americanos ou britânicos...

— E estará a *Iris* a planear ficar em Portugal? Estará *ela* a alugar uma casa em Sintra?

— Não, não está. Mas só por causa dos livros. Pete! Podes abrandar? Quase atropelaste aquela mulher.

— Está bem. Agora, o que vai acontecer é isto: Quando chegarmos a Sintra, vais sair do carro e...

— Não vou sair do carro.

— Vais sair do carro e vais pôr o teu sorriso mais bonitinho e no teu francês mais bonitinho vais dizer a essa vizinha, seja ela quem for, que cometeste um erro e queres o teu dinheiro de volta.

— Não o farei.

— Farás sim.

— Faz tu se estás assim tão decidido. Faz tu.

— Em primeiro lugar não fui eu que lhe dei o dinheiro.

— Não me interessa. Não me interessa. Em vez disso, posso saltar agora mesmo do carro. Ou posso antes pôr-me no meio da estrada para depois poderes atropelar-*me*. Porque é o que tu queres, não é? Que eu morra. Bem, em breve vais ter o teu desejo realizado, prometo-te.

— Se eu quisesse ver-te morta, deixava-te aqui, porque é isso que vai acontecer se ficares aqui. Vais acabar por morrer. Ou pior.

Julia gemeu. Chorosa, com o cabelo em desalinho, inclinou a cabeça contra a janela. E no outro lado dessa janela... Que beleza! Pois agora estávamos já fora de Lisboa e íamos na direção dos montes. A estrada fez uma curva e começou a subir. Viam-se arvoredos de oliveiras e pomares e uma rapariguinha com um vestido garrido e um cesto de flores. Aqui e ali, através de um intervalo entre os montes, podia ter-se um vislumbre do Atlântico, das torres do Estoril, de uma moradia com um pátio onde uma família estava a comer... E pensar que, não muito longe daqui, cidades inteiras tinham sido arrasadas! Contudo, ao olhar para estas pessoas nos seus pátios, podíamos ser levados a crer que a guerra estava tão longínqua quanto o inverno, que era tão improvável quanto protetores de orelhas e galochas... Quem pode criticar Julia por querer ficar? Na verdade, quem a pode criticar?

E depois chegámos a Sintra. Da vila propriamente dita, guardo apenas uma vaga lembrança, pois por essa altura a minha raiva tinha-se convertido numa espécie de euforia. Sentia-me quase tonto por causa dela. Era o tipo de sensação que se tem quando se bebe demasiado café com o estômago vazio. Lembro-me de pensar que Sintra era bastante parecida com todas as outras vilas que já tínhamos visitado, onde as pessoas ricas vão passar os meses quentes de verão. As fachadas tinham aquele brilho lustroso típico. A maior parte dos carros eram novos, com matrículas polacas ou belgas.

— A casa — perguntei eu. — Onde fica?

A voz de Julia estava apática.

— Vira à esquerda. Ali.

Estacionei. Havia um portão coberto por hera, exatamente como ela tinha descrito. E um muro de pedra. E atrás do muro, um jardim com citrinos.

Instintivamente, ela tirou da mala um espelho de bolso, retocou a cara e ajeitou o cabelo.

— Pete — disse ela, quando lhe abri a porta do carro.

— Não — retorqui-lhe eu.

Ela não insistiu. Seguiu-me até ao portão e ficou atrás de mim enquanto eu tocava à campainha.

A governanta veio abrir a porta. Sorriu para Julia.

A conversa decorreu em três línguas, ao fim da qual se foi chamar a senhora vizinha. Ela era imponente, no estilo de Margaret Dumont num filme dos irmãos Marx. Até tinha penas de avestruz.

— *Enchantée* — disse ela, estendendo um braço nu, com a camada de gordura a tremelicar um pouco.

Antes que eu tivesse tempo para responder, estávamos a ser levados pelo portão, na direção da casa.

— *Votre maison* — disse Margaret Dumont.

— Não — disse eu.

— *Comment?* — perguntou ela, perscrutando-me através do seu *pince-nez*.

Voltei-me para Julia, que se encolheu. Tão claramente quanto me foi possível, expliquei que a minha mulher tinha agido precipitadamente, sem o meu consentimento. Não podíamos permanecer em Portugal. Éramos forçados a regressar à América. «À notre patrie.» Como tal, se a senhora tivesse a amabilidade de nos devolver o adiantamento...

— *Comment?* — perguntou ela outra vez. — *Qu'est-ce que vous dites?* — E não era que ela não tivesse percebido; era como se simplesmente se recusasse a aceitar as minhas palavras, da mesma forma que uma merceeira poderia recusar-se a aceitar a entrega de um carregamento de bananas tocadas.

Repeti o que dissera.

— *Mais ce n'est pas possible* — disse ela. — *Votre maison...*

— *Ce n'est pas notre maison.*

— *Votre maison.*

— *Ce n'est pas notre maison.*

Mas o que diria ela ao *monsieur* em Inglaterra? Ela já tinha telegrafado as novidades.

Que tínhamos mudado de ideias.

Mas se a senhora, a minha mulher, não tivesse sido tão insistente, ela poderia ter alugado a casa ao romeno. E agora era tarde demais. Ele tinha ficado com outra casa.

Isso não é problema meu.

Mas ela assinou um recibo.

Um recibo não é um documento legal.

O senhor é juiz, *monsieur*?

Olhei-a fixamente. Ela também me olhou fixamente. Tentei parecer ameaçador. Ela manteve destemidamente os olhos fixos nos meus. Era implacável, aquela mulher, na sua armadura de penas de avestruz. Não apenas isso, como também tinha razão. Nunca é agradável quando alguém rejeita o que pensávamos ser um negócio fechado. Estivesse eu no seu lugar, também ficaria preocupado com o senhor em Inglaterra. Também eu estaria a pensar na minha comissão.

Não me envergonho de ter sido, durante grande parte da minha vida, um vendedor. De facto, foi por ter sido um vendedor que posso refutar com segurança a falácia de que o vendedor é por natureza um trapaceiro. Para se ser bem-sucedido como vendedor, tem de se acreditar não só no produto que estamos a vender como na nossa própria retidão. Adotar uma posição falsa é para nós uma tortura. Porém, naquele momento sabia que não tinha outra opção. Pois, embora a quantia de dinheiro em causa não fosse exorbitante, também não era desprezível. Não nos podíamos dar ao luxo de a perder, como Edward e Iris podiam. Mais do que isso, parecia-me premente dar uma lição a Julia. Ela tinha de encarar os factos. Já não importava o que ela dizia de si própria. O que importava era o que os outros diziam dela.

E, assim, ficámos no jardim, eu e aquela mulher, com Julia e a governanta pairando à nossa volta como abelhas. Passaram-se vários minutos. A questão era qual entre de nós seria o primeiro a pestanejar — ou, mais corretamente, qual iria quebrar primeiro: a sua compaixão ou a minha determinação, pois ela devia ter-se apercebido de que Julia não estava bem. Contudo, a justiça estava do seu lado.

Os sinos da igreja deram duas badaladas. Tinha perdido mais uma vez a noção do tempo. Combinara encontrar-me com Edward às três e meia.

Instintivamente, baixei os olhos — não para o meu relógio, mas na sua direção. E, nesse instante, o jogo estava perdido. Eu sabia-o, e a mulher com as penas de avestruz também. Constatei-o pelo modo como descontraiu os ombros e se permitiu sorrir. Agora a bola estava do seu lado. Podia ser generosa ou não, compassiva ou não, como lhe aprouvesse.

— *Voulez-vous du café?* — perguntou.

— Sim, obrigada — disse Julia.

Uma hora mais tarde viemos embora com um terço do nosso dinheiro.

— Estou esgotada — disse Julia enquanto entrávamos no carro.

Não disse nada. Voámos pelas estradas ventosas abaixo. Desta vez, tive a noção de que estava a guiar demasiado depressa. E, como acontece sempre que estamos verdadeiramente com pressa, atravessaram-se no meu caminho obstáculos de toda a espécie. Primeiro, fiquei encalhado atrás de uma carroça puxada por cavalos. Em seguida, depois de esta ter virado e saído da estrada, fiquei parado atrás de um autocarro. Depois, chegámos a uma passagem de nível do caminho de ferro no preciso instante em que estavam a baixar a cancela. Já não era uma questão de se eu iria chegar atrasado; mas de quão atrasado iria chegar. E esperaria Edward por mim? Não fazia ideia. Talvez ficasse à minha espera. Ou talvez se fosse embora volvidos quinze minutos.

Chegámos ao Cais do Sodré às quatro horas. Os deuses do estacionamento de Edward deviam estar a sorrir para mim, pois encontrei um lugar em poucos minutos.

— Preciso de ir caminhar um pouco — disse eu a Julia à porta do Francfort. — Volto daqui a pouco.

Ela não protestou. Esgueirou-se pela porta giratória e, por breves instantes, multiplicou-se e fragmentou-se, como se o vidro a tivesse absorvido. Fui apressadamente até ao British Bar, em cujos recônditos sombrios — na realidade, mesmo debaixo do famoso relógio — Iris estava à minha espera.

14

— IMAGINO QUE ESTEJA SURPREENDIDO por encontrar-me aqui.

— Não tanto quanto poderá pensar.

— Bom, não precisa de ficar preocupado, não ficarei muito tempo. Edward virá ter consigo mal eu saia.

— Ele sabe que aqui está?

— Eu e o meu marido não temos segredos entre nós. Sente-se, por favor. O que tenho para dizer não demorará mais do que uns breves minutos.

Sentei-me.

— Na verdade, estou feliz por vê-la aqui — disse eu. — Assim posso perguntar-lhe o que raio pensou que estava a fazer ao convencer Julia a dar dinheiro para alugar aquela casa.

— Convencer Julia! Não fiz nada disso.

— No entanto, não a desencorajou.

— Porque haveria de o fazer? Não há qualquer motivo para ela não ficar em Portugal se lhe apetecer.

— Pelo contrário, há um excelente motivo. Não é seguro.

— É-o algum lugar? Muitas pessoas têm feito nos últimos anos um grande número de previsões, e veja se isso lhes valeu de alguma coisa.

— Mas *você* não vai ficar cá.

— Estou certa de que irá compreender, Senhor Winters, quando lhe digo que não julgo ser do meu interesse, nem do de Julia, que você e o meu marido fiquem no mesmo continente.

— Estou a ver. Por isso, está inteiramente disposta a atirar Julia aos lobos...

— Como se atreve a acusar-*me* de atirar Julia aos lobos, quando é você que está a fazer aquilo que irá seguramente matá-la? Ou deveria dizê-lo de forma mais crua? Muito bem, fá-lo-ei. Está a ter relações sexuais com Edward. Eu consigo aguentá-lo. Julia não conseguiria.

— E porque tem ela de o descobrir?

— Exatamente. Ela não deve descobri-lo. De forma alguma. Claro, haveria menos riscos de tal acontecer se ficassem em Portugal. Mas você fechou essa porta e agora parece que dentro de uma semana, mais ou menos, nós os quatros iremos partir para Nova Iorque. Não é maravilhoso? Vamos seguramente jantar juntos todas as noites. E depois do jantar, todas as noites, você e Edward sairão para... Que mentira iremos acordar? Para fumar um charuto? Aquele antigo ritual de os senhores e as senhoras se separarem durante um bocado? Ou prefere as tardes? À hora do chá.

— Por favor! Fale mais baixo.

— O quê, tem medo que as pessoas ouçam? Boa! Devia ter.

Ela virou-se e acendeu um cigarro. As mãos tremiam-lhe. Havia qualquer coisa de magnífico nela, magnífico, aristocrático e desajeitado, o que, juntamente com as costas curvadas, o cabelo desalinhado e o longo e branco pescoço, se prestava à guilhotina.

— Sei no que está a pensar — disse ela. — Está a pensar que vou proibi-lo de ver Edward. Mas não vou. Não sou estúpida. Conheço os meus próprios limites. E por isso vou antes fazer-lhe o que me parece ser uma proposta bastante razoável. Pode fazer o que bem entender com Edward e eu vou olhar para o outro lado, desde que Julia continue na ignorância.

— E porque é que de repente está tão preocupada com Julia?

— Porque ela é vulnerável.

— E você não é?

Ela pestanejou.

— Isto poderá surpreendê-lo, mas conheço o meu marido melhor do que qualquer outra pessoa viva no mundo. Acredite-me, nada disto é uma surpresa para mim.

— Está a referir-se, presumo, ao vosso acordo...

— É assim que ele o chama? Que engraçado. — Inclinou-se por cima da mesa, até ficar tão próxima que eu conseguia cheirar o seu perfume, o perfume que Julia tinha trazido para o nosso quarto de hotel na noite passada. — Senhor Winters, Pete, peço-lhe que me escute. Não faz ideia, a menor ideia, em que é que se está a meter com Edward.

— Não?

— Não, não faz. Se fosse uma mulher, dir-lhe-ia a mesma coisa. Se fosse eu há vinte anos, dir-lhe-ia a mesma coisa. Ele não está bem, o Edward... Sim, sei que ele dá a impressão de ser encantador, original e inteligente, mas isso é apenas uma fachada. E sim, talvez eu tenha piorado as coisas, vindo em seu socorro tantas vezes, aturando coisas que nenhuma mulher razoável toleraria... Não sei o que é que ele lhe contou sobre os homens. É verdade que dormi com eles. Mas não, como ele parece ter-se convencido a si próprio, porque eu o desejava. Foi porque *ele* desejava. O que não significa que não tenha havido umas quantas vezes em que eu pensei: *Iris, já agora, bem podes aproveitar. Mereces.* Com efeito, houve um que estava pronto a deixar a mulher se eu deixasse Edward. Agora pergunto a mim mesma se não o deveria ter feito.

— Porque não o fez?

Ela inclinou-se por cima da mesa.

— Já alguma vez reparou que quando estamos a andar na rua, nós os quatro, e ela é demasiado estreita para dois poderem caminhar lado a lado, eu fico sempre atrás de Edward? Bem, sabe porquê? Porque se eu fosse à frente dele haveria a possibilidade de que, quando eu virasse a cabeça, ele já se tivesse ido embora. E, então, o que lhe parece isto como confissão? Amo-o, não consigo aguentar a ideia de o perder, não importa o quanto isso me custe. Não sou o que aparento. Não sou indomável. Quando muito, sou fraca. Embaraçosamente fraca. O que sente Julia por si, eu sinto-o por Edward.

— Julia! Sempre fui uma desilusão para Julia.

— Seria tão mais fácil para si se isso fosse verdade!

— Entendo, está a referir-se à preleção que lhe deu ontem. «Divertida», disse ela. Um feito notável.

— Você fala como se eu fosse uma hipnotizadora. Se eu tivesse esse tipo de poder!

— Bom, o que quer que tenha feito, o efeito não durou. Ela está a odiar-me novamente.

— Não seja tonto. Quando um certo tipo de mulher, e incluo Julia e eu mesma nesta categoria, quando um certo tipo de mulher, dizia eu, ama um homem, ela fará qualquer coisa, qualquer coisa, para mantê-lo. Julia percebe isso tão bem quanto eu. É por isso que está tão determinada em mantê-lo em Portugal. Porque ela sabe que tem mais hipóteses aqui do que em Nova Iorque. Mesmo que ela não entenda *porquê*.

— E você? Está a querer dizer-me que essa é a única razão pela qual dormiu com todos aqueles homens? Para manter Edward?

— Dormi com eles, sim. Tal como teria dormido consigo. Para que depois ele viesse e o cheirasse no meu corpo, nos lençóis. Para que respondesse às suas deveras *pormenorizadas* perguntas. Para que ele pudesse levar a camisa de dormir que eu estava a usar para a casa de banho... Não fique tão chocado. Não tem o direito. Não depois daquilo que fez. Naquela noite em que foi com ele até ao Estoril, eu tinha-me já preparado para isso. E estou a dizer precisamente aquilo que você está a pensar que eu quero dizer. Só que depois aquilo que tenho temido desde o início, aquilo que eu sabia que iria acabar por acontecer, acabou por acontecer. A única surpresa é que era você. Sempre pensei que seria algum jovem que o mataria, algum jovem incrivelmente atraente... Bom, gostos não se discutem.

— Obrigado.

— Não estou a desconsiderá-lo. Num certo sentido, fico contente. É menos provável que você o leve a passar dos limites do que um homem mais novo. Quanto a mim, isto tudo vem tirar-me um peso dos ombros, porque, pelo menos, agora é tudo às claras. Para você e Julia, por outro lado... francamente, penso que seria muito melhor ficarem por cá. Ficarem longe de nós. Nós somos veneno. Mas depreendo que agora seja demasiado tarde para isso.

— Se o que me está a perguntar é se ainda penso levar a minha mulher para Nova Iorque, a resposta é sim. Se for preciso, arrasto-a aos berros e aos pontapés.

— Então há só mais uma outra coisa que quero dizer-lhe. Não pense que Edward irá deixar-me. Não irá. Pergunte-lhe você mesmo e verá. — Ela agarrou nas suas coisas. — Bem, creio que é altura de me ir embora. Ele está à espera do outro lado da rua. Virá dentro em breve.

— E se Julia descobrir, mas não por mim? Por outra pessoa?

— Você é que deverá arcar com as consequências, não é verdade?

Desviei o olhar na direção do desconcertante relógio. Ela ergueu-se.

— Provavelmente, está a pensar que apreciei isto. Ou pelo menos que retirei algum prazer primitivo. Não é verdade. Para mim, toda esta conversa foi extremamente desagradável.

— Então porquê tê-la?

— Porque há alturas em que nenhuma das opções é boa. E temos simplesmente de adivinhar qual será a menos má.

— Como ir para casa.

— Mais ou menos.

Tentei rir. Ela não baixou a guarda. E quão magnificente ela estava naquele momento! Edward tinha razão ao tê-la comparado à *Madona do Pescoço Comprido*. Havia alguma coisa de genuinamente maneirista em Iris, uma qualidade simultaneamente magistral e assustadora, como se o seu corpo tivesse sido posto numa tábua de tortura e esticado até além dos seus limites, e agora o esplendor alongado dos seus membros, a torção erótica do seu pescoço testemunhassem a indivisibilidade do sofrimento e da graça.

Uns minutos depois de ela ter saído, entrou Edward com *Daisy*.

— Estás bem? — perguntou.

— *Eu* estou bem — respondi. — E tu?

Ele sentou-se.

— O que posso dizer, Pete? Isto é o que acontece quando te envolves com pessoas como eu. Pessoas que não tomam medidas de precaução. Se não quiseres voltar a ver-me, eu compreendo.

— E o que queres tu?

— Não estou em posição de querer nada.

— Muito bem. Vamos então.

— Onde?

— Sabes bem onde.

Ele nem sequer pediu uma cerveja. Lá fora, o Sol estava no seu momento mais brutalmente brilhante, com aquele brilho que antecede o seu esvaecimento. Com *Daisy* ao nosso lado, caminhámos até à Rua do Alecrim, em direção às escadas de metal e à porta incógnita.

Em Lado Nenhum

15

NUMA CERTA TARDE — penso que foi mais ou menos a meio da nossa estada em Lisboa — eu e Edward fizemos uma viagem no Elevador da Bica. Este elevador, para o caso de não saberem, é na realidade um funicular. A sua única carruagem tem três compartimentos vacilantes, mais parecidos com as linhas de um escadote. Voltando ao assunto, nessa semana estávamos sempre à procura de sítios onde pudéssemos estar a sós, Edward e eu, nem que fosse durante uns minutos. E uma vez que o Elevador da Bica era barato, e era fácil ficarmos com um compartimento só para nós, tornou-se um dos nossos poisos. Não me recordo de nos tocarmos sequer durante essas breves viagens, pois não era esse o objetivo. O objetivo era respirar, nem que fosse por um instante, ar que mais ninguém estava a respirar.

Nunca me interessei muito por funiculares, o que pode ser atribuído àquela desconfiança inata do vendedor de carros em relação a todos os veículos que, na rigidez dos seus percursos, renegam a estrada aberta que ele tanto aprecia. E que mais é o funicular senão uma aberração, até mesmo entre os comboios e os elétricos e afins, curvado e fundido nos seus trilhos íngremes, dos quais nunca se pode separar e sem os quais não consegue viver? Edward costumava dizer que o Elevador da Bica lhe fazia lembrar Sísifo empurrando pela montanha acima a sua pedra. Para mim, era mais como um inválido acoplado a um pulmão de ferro... Agora acorre-me que o próprio casamento é uma espécie de funicular, cujo funcionamento regular é dever de certos cônjuges não apenas supervisionar como também dominar. E a parte da subida, não obstante todo o esforço que exige, em nada é comparável com a descida, durante a qual há o risco perpétuo de queda livre. Perguntem a qualquer ciclista e ele dirá que a descida é de longe mais perigosa do que a subida.

De qualquer modo — e agora isto parece-me ter sido apropriado — foi a bordo do Elevador da Bica que Edward me disse pela primeira vez que Iris era católica.

— Desconfio que a sua infância foi passada do seguinte modo — disse ele. — Com as freiras a darem-lhe sempre pequenas penitências para ela cumprir. Mas, mal cumpria a primeira volta, já tinha cometido um novo pecado. E assim para todo o sempre.

— Ela ainda é praticante?

— Já não. Desistiu quando casou comigo. Dos dogmas da fé, ainda que não dos terrores. Os terrores, esses são mais difíceis de nos vermos livres deles.

Tinham passado anos desde que Iris se havia confessado pela última vez, acrescentou ele, e ainda assim ela anotava as suas transgressões numa espécie de livro de contabilidade espiritual, e tentava compensá-las com atos de contrição. O pecado do qual ela se considerava mais culpada era o do orgulho, que é único entre os pecados visto pelo mundo secular como sendo uma virtude. Orgulho no nosso trabalho, orgulho no nosso sucesso... E estas são coisas boas, não são? Iris sentia orgulho no seu trabalho, sentia orgulho no seu sucesso, acima de tudo sentia orgulho por durante tantos anos ter impedido o funicular de se estatelar no chão. De facto, só havia uma única coisa pela qual ela não se sentia orgulhosa, que era o amor pelo seu marido. A imoderação daquele envergonhava-a. Era por isso que ela odiava tanto. Porque, até me ter conhecido, nunca antes na sua vida tinha deixado cair, neste aspeto, as suas defesas, nem mesmo nos seus momentos mais abjetos, nem mesmo naquelas noites escuras da alma quando, tendo mandado embora o amante que Edward lhe enviara, ela se havia virado para a parede e pensado: «Se ao menos eu tivesse uma mãe...» Porque ela não conseguia imaginar-se a confidenciar uma tal coisa a outra pessoa que não a uma mãe. E agora tinha-o confidenciado a mim, o seu pior inimigo.

Mas atenção, ela não estava a cometer um erro. Era uma exímia jogadora de cartas. Sabia que, quando se tem uma mão fraca, a única coisa a fazer é jogar como se aquela fosse forte. E a mão que lhe tinham distribuído era de facto incrivelmente fraca. Porque, afinal, que cartas tinha? Hábito — o hábito de um longo casamento. Lealdade — pelo menos a esperança dela. Uma filha em exílio. Uma cadela aproximando-se do fim da sua vida. E estas eram as cartas *fortes*.

Bom, ela examinou-as e fez o seu cálculo. A melhor hipótese que tinha de ficar com Edward era não proibir o caso, mas geri-lo. Para o gerir, tinha de gerir-me a mim. Para me gerir, tinha de persuadir-me de que, se chegasse sequer a pressentir o perfume de Edward nas minhas roupas, Julia desmoronar-se-ia simplesmente num monte de pó. E eis que ela teve um golpe de sorte. A nossa conversa no British Bar surgiu imediatamente após aquela cena terrível em Sintra, com efeito, apenas uns minutos depois de eu ter deixado Julia na porta giratória do Francfort. E por isso a imagem que me veio à cabeça, enquanto Iris apresentou os argumentos a seu favor, não foi a da minha mulher tal como quando a tinha conhecido pela primeira vez, aquela filha mais nova radiante na sua excentricidade, mas a da minha mulher tal como a conheci nos últimos tempos: frágil e febril, atravessando o vidro, atravessando um rio, atravessando o Estige.

E assim foi. Iris saiu do British Bar e percebeu que tinha alcançado o seu propósito. Nunca mais eu e Edward ficaríamos sozinhos novamente. Onde quer que fôssemos, ela estaria connosco: Iris e, através dela, o espetro de Julia desmoronando-se em fragmentos. Porém, teria Iris percebido igualmente que, ao assegurar a minha aquiescência, tinha pagado um preço mais elevado do que deveria pagar? Porque a sua intenção tinha sido apenas a de me mostrar a profundidade do seu orgulho. Mas, ao invés, ela tinha fraquejado, mostrando-me a profundidade da sua paixão. Em comparação, dormir comigo teria sido o equivalente a nada.

Estou a vê-la agora em procissão (esta é a palavra adequada para Iris) pela Rua do Arsenal abaixo. Sem uma única vez voltar a cabeça. Abre caminho pela Rua do Ouro afora, passando o Elevador e atravessando o Rossio até ao Francfort Hotel, onde, enquanto sobe as escadas, o funcionário pensa: *Aqui está uma verdadeira senhora inglesa...* Fecha à chave a porta atrás de si — e é apenas então, na escuridão daquele quarto insalubre onde se era forçado a ter de escolher entre sufocar com o calor ou sufocar com cheiro, que ela despe a sua pesada armadura com a qual se escondia e protegia o seu coração. Pois naquele momento estava inteiramente só. Nem sequer tinha *Daisy* como companhia. No último momento, não conseguiu resistir a impor uma única condição a Edward: que, quando ele fosse comigo, levasse a cadela. Provavelmente, tinha esperança de que *Daisy* viesse a revelar-se um obstáculo para nós — que por causa dela fôssemos rejeitados à porta ou postos fora dos quartos —, quando tudo o que na verdade ela estava a fazer era privar-se da única criatura cuja companhia poderia oferecer-lhe algum conforto naquelas horas terríveis.

Deve ter-se sentido como se estivesse a ser devolvida à sua infância. Uma vez mais, estava a fazer a travessia de mar, vinda da Malásia; uma vez mais, estava a ser entregue às frias e limpas mãos das freiras; uma vez mais, olhava atentamente para baixo, para o caminho que levava até à casa dos seus parentes intimidantes. Suspeito que foi naqueles anos, também, que ela adquiriu o gosto pela penitência, pois, até mesmo nas circunstâncias mais adversas, temos de encontrar algum modo de nos divertir. Bom, mesmo que fosse sem nenhum objetivo em mente, aquilo era pelo menos um bom treino para o que estava para vir.

Ela conheceu-o em Cambridge, num daqueles bailes de primavera, ou seja lá qual for o nome que lá lhes dão. Naquela altura, ele estava em Inglaterra há oito meses, a estudar filosofia com G.E. Moore. Pelo que depreendo, Moore era considerado uma Força Maior — e por este motivo o seu apoio a Edward tinha bastante peso. Supostamente, tudo era baseado nalguns ensaios que Edward tinha escrito em Heidelberg.

Mas adiante, Edward pediu a Iris para dançar — e no início ela estava desconfiada. Nunca, de modo algum, se tinha considerado bonita. Mais precisamente, as pessoas com quem se relacionava tinham feito tudo para cortar pela raiz qualquer autoconfiança que ela pudesse nutrir. Pois ela iria herdar muito dinheiro quando fizesse vinte e um anos e, se se casasse, essas pessoas sabiam que as hipóteses de gerir a sua fortuna sairiam goradas. E assim certificaram-se de nunca perderem uma oportunidade para lhe lembrar que ela não era bonita e que, por isso, qualquer homem que lhe desse a mínima atenção deveria ser olhado com desconfiança — uma estratégia que poderia ter funcionado, não fora o facto de Edward parecer tão pouco trapaceiro, o que ele era, e não fora o facto de a ter comparado à *Madona do Pescoço Comprido*, o que ele fez. Porque até então a sua altura tinha sido a sua maior fonte de embaraço — e agora ele dizia-lhe que era a sua maior glória. Evidentemente, esperavam-na embaraços bem piores.

Pelo que me disseram, o seu primeiro ano de casados foi relativamente feliz. Em Cambridge, viviam numa pequena choupana, um ninho miserável, do qual emergiam uma ou duas vezes por dia para darem um curto passeio pelo campo. Um estranho que os estivesse a observar julgaria que formavam um casal, se não mesmo atraente, pelo menos interessante — ambos tão altos e capazes de dar passadas tão largas. E conseguiam conversar. Num casamento, isto não é um feito desprezível. Eu e Julia não conseguíamos conversar — e, retrospetivamente, vejo o quão empobrecedor isso era. Ao passo que Iris, apesar da sua falta de estudos, tinha o tipo de mente que Edward apreciava. Poucas pessoas fora dos círculos rarefeitos de Cambridge conseguiam entender os seus escritos — mas ela conseguia. Tão-pouco ela se ressentia com o esforço que tais escritos exigiam da parte dele, pois, quando estava a trabalhar, Edward tendia a ficar obcecado, particularmente em relação aos primeiros rascunhos e às páginas com que não se sentia satisfeito. Primeiro, rasgava as páginas em pedaços. Depois, queimava os pedaços na lareira. Em seguida, enterrava as cinzas no jardim das traseiras. Tudo isto Iris observava com uma espécie de enlevo erótico. O que não conseguia aguentar era os seus desaparecimentos. Estes eram às vezes figurativos (mal lhe dirigia a palavra durante um dia inteiro), e outras vezes literais (saía para dar um passeio — e não regressava até à tarde seguinte). Eram acompanhados por vezes de explicações (uma vontade súbita de ir ver os Mármores de Elgin[1]), outras vezes não. E como sofria Iris durante estas longas horas de ausência! Era como se a terra tremesse sob os seus pés, como se a qualquer instante ela pudesse ser sugada

[1] Também conhecidos por os Mármores do Partenon, trazidos de Atenas para Inglaterra por Thomas Bruce, Lorde Elgin, no início do século XIX, e mais tarde adquiridos pelo Museu Britânico, onde ainda hoje estão em exposição. *(N. da T.)*

para o abismo... Até que ele regressasse e o mundo recuperasse a sua solidez. Tudo isto teria sido tolerável se ele lhe desse algum aviso. Mas nunca dava. Porque Edward, não obstante a sua solidez, era volátil. Quando nos aproximávamos dele conseguíamos por vezes agarrá-lo. Mas às vezes tudo o que conseguíamos agarrar era um reflexo de um reflexo numa porta giratória.

Bom, talvez agora consigam entender porque se aguentou ele um tão curto período de tempo em Cambridge. Pois, mesmo até naquele paraíso de temperamentos erráticos, havia regras que tinham de ser observadas. É certo que, de um ponto de vista americano, eram umas regras estranhas, a maior parte relacionadas com jantares e chás nos quais era obrigatório comparecer. No caso de sermos um membro júnior, a nossa ausência em tais reuniões era vista com desagrado — não porque os outros membros estivessem particularmente interessados na nossa companhia, mas porque ao não comparecer estávamos a desrespeitar a tradição. Se fôssemos um estrangeiro, era ainda pior. Nesse caso, a infração era então vista como um desrespeito nacional.

Seja como for, Edward não compareceu a muitos destes chás e jantares — e, na devida altura, o diretor da sua faculdade enviou-lhe uma intimação por escrito. Era apenas uma reprimenda, mas Edward levou-a muito a peito e demitiu-se.

O problema, na minha opinião, era que ele nunca tivera um emprego a sério — e por isso nunca havia sido despedido de um emprego a sério. Ser despedido é uma experiência marcante para qualquer pessoa, uma experiência pela qual se deve passar o quanto antes, se se pretende fazer parte do mundo. Porque, até passar por ela, ele estará amarrado à ilusão de que os empregadores são tão complacentes como uma mãe. O caso de Edward era mais grave: toda a sua vida lhe tinham dito que era um génio, e era mimado por causa disso. E deste modo, portanto, não conseguiu aperceber-se de que, no que concerne o ego de uma Grande Instituição, os caprichos de um pequeno académico são insignificantes. E por vezes é preciso dar o exemplo.

E assim foi. Longe de lhe implorar para mudar de ideias, o diretor aceitou friamente a sua demissão. À semelhança de outros golpes, Edward aceitou este sem vacilar. Foi Iris quem entrou em pânico. E quem poderia acusá-la? No decorrer de um só dia, a sua ideia de futuro — como a encantadora mulher de um encantador académico — tinha ido por água abaixo. Evidentemente, ela sabia que Edward podia ser caprichoso. O que não tinha adivinhado é que o seu capricho o levasse até àquele extremo. E apesar de tudo apoiou-o. Não via outra alternativa.

O próximo passo era decidir onde iriam fixar-se. Ela já tinha tomado posse da sua herança, por isso o dinheiro não era problema. Edward disse que queria ir a Nova Iorque, ver uma tia-avó de quem tanto gostava. Sob a tutela dela, acreditava que iria conseguir terminar o livro que deveria ser a sua dissertação. Foi durante a travessia que a criança foi concebida.

Oh, a criança! Aquilo foi o golpe fatal. Em Lisboa, disse-me Julia, Iris trazia na carteira fotografias da miúda. Ela era muito bonita — e, de acordo com Iris, a sua encantadora cabecinha era tão vazia que parecia ser feita de porcelana. Iris tinha medo de manuseá-la — receava que, na sua falta de jeito, a deixasse cair e que aquela cabeça de porcelana se despedaçasse. Ao passo que Edward adorava a filha sem sentimentos de piedade ou de culpa. Falava com ela durante horas a fio, sem ficar desencorajado com a sua incapacidade de mostrar sequer um vislumbre de reação. Ou brincava com ela, atirando-a ao ar e apanhando-a novamente. O espetáculo daquelas brincadeiras desarmava a mulher. Sentia-se criticada, rejeitada. Não compreenderia ele que a criança à nascença a tinha praticamente matado? E não apenas isso como, desde a sua vinda ao mundo, ele não tinha escrito uma única palavra do livro. E assim, quando Iris concebeu aquela ideia de pôr a criança numa instituição — uma ideia não particularmente revoltante naqueles tempos —, ela convenceu-se a si própria de que era em prol de Edward. O erro que cometeu foi não ter dado a Edward a hipótese de objetar.

Foi então que fizeram aquela histórica viagem até à Califórnia — e enquanto andavam sobre rodas pelo Midwest afora, a pobre Iris não fazia ideia, a mais pequena ideia, de que tinha acabado de assegurar o que nos tribunais chamam a alienação dos afetos do marido. Isto não fora inteiramente da sua responsabilidade. Não acredito que Edward alguma vez lhe tivesse comunicado o grau do seu ressentimento pela decisão dela em institucionalizar a criança. Não sei mesmo se alguma vez o comunicou a si mesmo.

E foi assim que a rapariga acabou num hospício horrendo, cuja única vantagem era ficar a poucas horas de carro da mãe de Edward — e do qual a sua mãe teve o bom senso de, em poucos dias, a tirar. E graças a Deus que o fez. A mãe dele — uma mulher estranha em todos os sentidos, uma anfitriã de sessões espíritas e uma estudiosa de fenómenos psíquicos — era como que um raio de esperança *naquele* céu. Se não fosse ela, a rapariga teria definhado na instituição até ao resto dos seus dias e, assim, ao invés, cresceu entre teosofistas que a viam como uma espécie de sibila silenciosa, com a qual estavam sempre a tentar estabelecer contato telepático. Seguramente, uma vida melhor do que aquela que o estado da Califórnia lhe teria proporcionado, e provavelmente uma vida melhor do que teria tido com os seus pais.

Depois disso, o livro de Edward foi abandonado, tal como a filha e a dimensão sexual do seu casamento — esta última perda foi uma faca de dois gumes para Iris, para quem o medo de conceber outra criança imbecil excedia o medo de perder o marido para outra mulher, embora apenas por uma margem ínfima. Partiram para França, onde começaram a sua vida de vagabundos — aquela vida de *Daisy* a correr pelos corredores dos hotéis de primeira classe — não porque qualquer um deles ansiasse especialmente por itinerância, mas porque nenhum tinha a disposição para se fixar nalgum lugar. Iris, tal como Edward observara, não se sentia em casa em lado nenhum, enquanto Edward tinha o hábito de se encantar por um lugar até ao seu enamoramento declinar em aborrecimento, o aborrecimento em depressão, até ter o que Iris chamava de um «episódio». O episódio das seis garrafas de champanhe. O episódio dos comprimidos. O episódio dos carris de comboio. O episódio da varanda do quinto andar. E depois, talvez decorridos quatro anos da sua estada na desolação de contos de fadas que era a Europa da Idade do Jazz, o episódio de Alec Tyndall.

Alec Tyndall — ouvindo Edward contá-lo, foi um figurante no drama: o instigador acidental, em primeiro lugar, da carreira acidental de Xavier Legrand e, em segundo lugar, do «acordo» através do qual Edward enviou homens para Iris durante a noite. O meu palpite, todavia, é de que o papel que ele teve foi consideravelmente mais crucial do que isso. Pois, antes de Alec Tyndall, Edward não tinha descoberto que podia amar outro homem.

Mas quem poderá dizer o que em Alec Tyndall fez virar o jogo a seu favor? Eu seguramente não posso, nunca o tendo conhecido. Provavelmente, para qualquer outra pessoa a não ser Edward, ele não tinha nada de especial; um homem de negócios casado, na casa dos trinta; tão banal quanto... bem, quanto eu sou.

E talvez fosse essa a atração. No British Bar, Iris tinha-me dito que pensara que seria algum jovem absurdamente atraente que iria «matar» Edward. Contudo, a verdade é que nenhum jovem atraente poderia ter matado Edward. Edward era imune a jovens atraentes. Pelo contrário, o que exercia sobre ele um fascínio fatal era o toque desajeitado de um homem vulgar e imperfeito.

Seja como for, Tyndall — esse foi, para Iris, o início do seu exílio no deserto, a sua época de tentações e provações. Quando ela lhe abriu a porta naquela noite, não conseguia primeiramente acreditar no que estava a ver. Depois a sua presença ávida começou a fazer uma horrível espécie de sentido. Pois, precisamente naquela mesma semana, Edward tinha tido outro episódio, desta vez envolvendo um revólver emprestado. Agora ela julgava compreender o motivo.

E assim consentiu Tyndall na sua cama — porque amava Edward. E porém o que significa isso — que ela amava Edward? Quer dizer, se pusermos uma gota desse fluido vital debaixo de um microscópio, o que poderíamos ver?

No caso de Iris, penso que o que veríamos seria essencialmente medo: medo de a terra se abrir debaixo dos seus pés, medo da perda de Edward — o que significava a sua própria perda. Pensava que o amava como um santo ama Deus. E, todavia, não será o amor dos santos uma espécie de monstruosidade? Santa Ágata com os seus seios num prato, Santa Lúcia com os olhos num prato... Para onde quer que se voltasse, perseguiam-na diabinhos vermelhos com cauda. Por serem diabos, sabiam exatamente para onde deveriam direcionar os seus atiçadores: para o seu orgulho. Poder-se-ia pensar que eles lançaram Iris para a cama de Tyndall. Não! Tentaram mantê-la afastada dela. E que sofrimento fora resistir às suas súplicas e submeter-se antes à mortificação da carne — da sua própria carne — que o seu amor por Edward exigia. E nem mesmo a Senhora Tyndall se importava, pois isto era na França, creio eu, de 1927. A infidelidade era obrigatória. Ao dormir com Tyndall, Iris não estava a trair ninguém a não ser a si mesma.

Permitam-me que regresse agora a Edward. Mencionei já o episódio do revólver emprestado. Não mencionei a pessoa que o emprestou: um senhor idoso inglês, jovial e com um grão na asa, que estava por acaso presente quando Edward apontou aquele revólver à cabeça, e que veio a revelar-se fundamental para convencer Edward a baixá-lo. Na verdade, aquele inglês poderá ter sido a pessoa mais sensata que alguma vez cruzou as suas vidas pois, mal se conseguiu evitar a crise, ele chamou Iris de lado e disse-lhe: «O seu marido é um tipo perturbado. Se fosse a você, arranjava-lhe um médico.» E, ante este conselho, ela irritou-se — não só por temer o que um médico, se fosse chamado, pudesse dizer; não só por julgar que o inglês era impertinente; mas porque, ao sugerir que Edward estava «doente», ele mostrava que não tinha conseguido apreciar o génio do seu marido —, o que, tinha a certeza, explicava, até mesmo desculpava, o facto de ele ter levado o revólver à cabeça. Evidentemente, a longo prazo teria sido preferível que ela tivesse acatado o conselho do caro senhor. No mínimo ter-lhe-ia poupado algum tempo. Mas, ao contrário, foi para o quarto e começou a fazer as malas. Três horas mais tarde, foram-se embora — a primeira de muitas outras partidas precipitadas, todas antes do amanhecer, e todas impulsionadas por Iris, como se, ao fugir para outro hotel, para outra praia, para outra cidade, eles pudessem deixar para trás o problema de Edward. Mas este nunca os abandonava.

Depois disto, as coisas foram sempre piorando. No novo hotel, Edward recusou-se a sair da cama. Isto atrapalhava as criadas no seu afã de limpar o quarto. Estas «conversavam» entre si. A conversa levou à especulação entre os outros hóspedes de se o estranho americano do 314 poderia ter alguma coisa que ver com certos rumores que tinham, como que através de um pombo-correio, chegado recentemente da costa.

Infelizmente, Iris levou estes mexericos mais a sério do que o próprio estado do seu marido. Agora era Edward quem estava a pedir um médico. Todos os dias, disse ele, sentia-se a afundar cada vez mais no «pântano do desânimo» — expressão esta que ela não conseguia situar[1], mas a qual, pela sua própria qualidade alusiva, corroborava, na sua perceção, a vitalidade da inteligência do marido e a profundidade da sua erudição, proporcionando-lhe a desculpa que ela necessitava para desvalorizar o seu sofrimento. Pois a noção que tinha de doença psiquiátrica, até pelos parâmetros da época, era rudimentar — mais um dos benefícios da sua educação católica. O que Edward precisava não era de um médico, insistia ela; era de ar puro, comida saudável, sol — um aspeto que ela sublinhava, abrindo as cortinas — ao que ele gemia. Tanto quanto lhe era possível, ficava no quarto com ele — até que, certo dia, a necessidade de adquirir determinados artigos demasiado íntimos para encarregar alguma criada de os comprar a impeliu a fazer uma breve incursão pela cidade. Um erro, tal como veio a provar-se, já que, mal tinha deixado Edward, este, por sua própria iniciativa, telefonou para o gerente do hotel e pediu que chamasse um médico. Era, disse ele, uma emergência. E assim, quando Iris regressou, deparou-se com um cartão a dizer NE PAS DÉRANGER pendurado na maçaneta da sua porta, e duas senhoras

---

[1] A expressão é retirada da alegoria de John Bunyan, *The Pilgrim's Progress* [*O Progresso do Peregrino*], onde o protagonista, a caminho da Cidade Celestial, cai num lamaçal — o Pântano do Desânimo. *(N. da T.)*

idosas deambulando perto do elevador. Sem a reconhecerem como a mulher dele, informaram-na de que aquele americano do 314 tinha tido «algum tipo de esgotamento».

— Que disparate — retorquiu Iris. — O meu marido está constipado. É por isso que tem estado de cama nestes últimos dias. — E, em seguida, abriu caminho por entre as duas mulheres e foi para o seu próprio quarto, que comunicava com o de Edward. Aí, encontrou *Daisy* a uivar junto à porta que dava para os dois quartos. Pegou na cadela ao colo e aguardou. Preparou-se mentalmente para o pior, planeando já a partida e antecipando o próximo porto de abrigo.

Vinte minutos mais tarde, a porta abriu-se. O médico apareceu.

— É a Senhora Freleng? — perguntou.

Ela acenou que sim.

— Bom, examinei o seu marido — disse ele —, e não há nada de mal com ele, a não ser que pertence a uma espécie vulgar de neurasténico. Encontram-se aos milhares nestes locais.

Ela estava prestes a responder que o seu marido não era uma espécie vulgar de nada quando o próprio Edward apareceu à porta. Para sua grande surpresa, ele tinha-se vestido. Parecia estar imensamente satisfeito — quer pelo diagnóstico do médico quer pelo tratamento sugerido: uma estada de um mês numa daquelas *maisons de repos* nas quais a Suíça se especializara, juntamente com todos os outros possíveis meios de lucrar com a ganância e o sofrimento humanos. E isto, para Iris, era o que mais a confundia, pois ela sempre tomara como certo que Edward era único e especial e que, portanto, qualquer maleita de que ele padecesse seria uma maleita única e especial. E por isso o facto de o próprio Edward ter recebido favoravelmente as notícias de que era mais um neurótico ocioso e frequentador de hotéis deixou-a sem palavras. Estava, como se costuma dizer, siderada.

No dia seguinte, partiram para a Suíça, para a *maison de repos*, onde Edward veio a provar ser um paciente modelo, submetendo-se mansamente a qualquer instrução que as enfermeiras dessem, não importa quão arbitrárias. E este era o mesmo homem que, não muitos anos atrás, tinha preferido renunciar à sua bolsa de estudos em Cambridge a aplicar-se ao chá da tarde!

Talvez estejam a perceber aonde pretendo chegar. No fundo, Edward era, creio eu, uma pessoa bastante modesta. Os desejos que o extasiavam e torturavam eram desejos modestos. Ele ficou satisfeito com o diagnóstico do médico pela mesma razão que Iris o desdenhara: porque estabelecia que era membro da fraternidade dos homens vulgares, ainda que confirmasse ao mesmo tempo o que ele tinha suspeitado desde sempre: não era nenhum génio. Não era nenhuma Força Maior. A sua mente era suficientemente perspicaz para se aperceber dos seus próprios limites, não para os transcender. E talvez isto tivesse sido o motivo pelo qual fora atraído por Alec Tyndall, e por mim, e porque nutria um tão grande afeto pela filha — porque nós não exigíamos que ele fosse extraordinário.

E assim Edward passou *três* meses na *maison de repos*. Como cônjuge leal que era, Iris aguentou o tempo todo, instalando-se num hotel na mesma rua. Todos os dias levou *Daisy* a visitá-lo. Ele levava-a para o jardim, onde ela farejava o edelvaisse ou o que quer que cresce nos jardins suíços. Fiel ao seu nome, a *maison de repos* dava bastante importância ao descanso. Aos seus pacientes era exigido que descansassem qualquer coisa como doze horas por dia — e isto convinha a Edward na perfeição. Tal como as refeições, que eram abundantes e ricas ao estilo dos infantários: tudo tinha manteiga e creme e pão, não havia quaisquer espinhas nos peixes para tirar, vísceras ou bifes pouco requintados e chamuscados. Isto não quer dizer que ele não recebesse qualquer espécie de tratamento. Havia um psiquiatra na *maison*, com o qual Edward falava todos os dias. Falava sobretudo de Cambridge: como, na esteira da sua demissão, o invadira uma tranquilidade diferente de tudo o que tinha até então conhecido. Porque, por fim, estava livre dos caprichos das diligências humanas. E, todavia, para além do horizonte daquele enorme alívio, espreitava uma enorme incerteza. Pois o que iria ele fazer com o resto da sua vida?

O mais possível avesso a tudo quanto seja suíço, tenho de reconhecer que a *maison de repos* fez imensamente bem a Edward e a Iris. Entre outras coisas, trouxe-lhes Xavier Legrand. Tal como a filha, o autor foi concebido em viagem, entre dois locais: Montreux e Genebra, julgo eu, quando estavam de regresso a França após o tratamento de Edward. Inicialmente, Monsieur Legrand era meramente um modo de passar o tempo — e assim eles fizeram do passar do tempo a razão de ser dele. Sentindo-se enfadado na sua reforma, começara a escrever romances como outros reformados começam as aguarelas. Claro, o facto de Tyndall ter posto a ideia na cabeça de Edward conferia, para Iris, a todo o empreendimento um aspeto ligeiramente sórdido. E ainda assim ela pactuou com aquilo, quer porque o psiquiatra de Edward acreditava que lhe faria bem, quer porque, para seu próprio espanto, descobriu que tinha bastante prazer em fabricar enredos. Em Lisboa, Edward insistiu em que nunca tinha ligado muito aos romances, que eles eram o «filho de Iris», que na sua produção ele era quando muito um amanuense. Não estou, porém, seguro de que isto fosse verdade — pois as suas impressões digitais estão por toda a parte. E, claro, o primeiro dos livros deu-lhe a desculpa que precisava para manter o contacto com o seu inseminador, e ao qual era dedicado, Alec Tyndall.

E assim foi forjada a carreira acidental de Xavier Legrand — da forma mais estranha e atribulada que se pode imaginar. No devido tempo, o primeiro romance saiu. Com o exemplar que enviou a Tyndall, Edward incluiu uma mensagem pedindo-lhe que fosse um tipo às direitas e mantivesse o segredo da identidade de Monsieur Legrand para si mesmo. Tyndall respondeu que ficava mais do que feliz por assim o fazer. Com efeito, pediu apenas que, na próxima vez em que Edward e Iris se encontrassem de regresso a Inglaterra, dessem a ele e a Muriel o prazer de abrir uma garrafa de champanhe em sua honra. Mas claro que eles nunca se encontraram de regresso a Inglaterra. Oficialmente, a razão para tal era *Daisy*.

E, durante anos, foi aquela a sua vida. Escreviam, enquanto *Daisy* corria pelos corredores dos hotéis de primeira classe, e uma ou duas vezes ao ano, Edward tinha um episódio que o obrigava a regressar à *maison de repos*. De forma crescente, estes episódios envolviam homens — Alec Tyndall dando lugar a um grego, que deu lugar a um austríaco, que deu lugar a um argentino — cada qual, para Iris, único e pungente, uma vez que no universo erótico não há maneira de prever como um homem se irá comportar. Um dos homens deu um murro nos queixos a Edward, outro apaixonou-se perdidamente por Iris, um terceiro, depois de se enfiar na cama com ela, teve um ataque de contrição e fugiu a correr para a mulher. Por duas vezes, ela pensou que estava grávida. Há muito que aceitara o fim da intimidade sexual entre ela e Edward, levada por aquele espírito de fervor penitente que torna o próprio sacrifício do prazer uma espécie de prazer. No entanto, em comparação com o que Edward exigia dela, até mesmo qualquer espécie de vida sem sexo teria sido bem-vinda...

Honestamente, não sei porque terá ela suportado aquilo tudo durante tanto tempo — para não falar no motivo que o levou a desejar que ela o suportasse, quando poderia também facilmente ter feito a coisa sensata a fazer: ido por si mesmo à procura de homens para dormir. Não havia qualquer desculpa para não o ter feito. Tinha passado o seu tempo em Cambridge, estava suficientemente familiarizado com Krafft-Ebing e Havelock Ellis para aceitar os seus apetites como as coisas vulgares que eles eram. Agora estou convencido de que Iris estava tão errada em pressupor que Edward buscava unicamente satisfazer os seus próprios impulsos através dela como Edward estava a ser desonesto quando disse que enviou homens para a cama dela como uma espécie de recompensa. Ele enviou-os para a cama dela para o seu próprio prazer — e para testar o quanto ela iria tolerar. Fê-lo para a punir e para a recompensar, para a atrair para si e para a afastar de si. E será assim tão invulgar agir por motivos confusos e até contraditórios? Se não tivesse sido por Iris, contou-me Edward mais tarde, ele teria provavelmente acabado com a vida no dia em que entregou a sua carta de demissão em Cambridge. De facto, tudo o que o mantivera vivo desde então fora a recusa dela em desistir. Ele empurrou-a até aos limites da resistência humana, e ainda assim ela não desistiu. Ao invés, ela forçou-o a alimentar-se. Enfiou a vontade de viver pela goela dele abaixo, do mesmo modo como o alimento foi enfiado pela goela abaixo das sufragistas. E por conseguinte ele estava-lhe reconhecido — como o paciente está reconhecido ao cirurgião que lhe salvou a vida — e no entanto desprezava-a — como o prisioneiro despreza o seu carcereiro.

E foi assim que as coisas se passaram com eles — durante dezoito anos. No seu íntimo, Iris temia que chegasse o tempo em que Edward iria querer mais do que somente palavras e cheiros; em que iria querer ver o outro homem na cama consigo ou (Deus o proibisse) tentar entrar para a cama com eles. Mas isto nunca aconteceu. Eles envelheceram, e os episódios surgiram com cada vez menos frequência. Fora isto, deverão entender, a vida deles era uma vida relativamente tranquila. Tinham a escrita dos romances para os absorver, e um *fox terrier* de pelo duro para os divertir, e aquele companheirismo, aquela facilidade de entendimento que é talvez a grande bênção do casamento. Em períodos de acalmia, Iris observava os outros casais que conhecia. Todos eles tinham segredos: bebida, jogo, problemas de dinheiro. Ela ouvia as suas histórias e pensava: *Os nossos problemas não são piores do que os dos outros.* E depois Edward enviava um homem para a sua cama e ela pensava: *Estou a mentir a mim mesma. Eles são* piores.

E quando chegou a altura, ficaram com a casa em Gironda para que *Daisy* pudesse correr por ali caninamente enquanto ainda o podia fazer. Foi Edward que sugeriu a mudança. No início, Iris ficou perplexa. Seria aquela uma armadilha posta por outro diabo, um diabo infinitamente mais arguto do que aqueles com os quais ela tinha previamente feito negócio? Aparentemente não — pois Edward floresceu em Gironda. Fez coisas viris. Plantou uma horta e converteu um dos edifícios num estúdio. De manhã, escreviam. Depois voltavam para casa para comerem quaisquer iguarias que a cozinheira, Celeste, lhes tinha preparado. Em seguida, Edward levava *Daisy* para brincar na praia e Iris dormia uma sesta. E que milagre aquilo era, ser capaz de se deitar no sofá durante a tarde sem ter de se preocupar que ele desaparecesse ou ameaçasse atirar-se de uma varanda! Pois em Gironda parecia impossível que ele desaparecesse, e não havia nenhuma varanda. É verdade, ele teve mais um episódio que requereu mais uma visita à *maison de repos.* Todavia, estes foram de longe, para ambos, os anos de paz, de prazeres ainda mais intensos pela sua simplicidade, e de dificuldades que na sua simplicidade se assemelhavam a prazeres.

Certa manhã, interromperam cedo o trabalho e foram dar um passeio pela praia. Era inverno e o vento soprava a areia, formando pequenos redemoinhos. Edward tirou a trela a *Daisy* e ela correu pela praia fora alegremente, brincando nas ondas, que molhavam as delicadas patas, farejando, agarrando e perseguindo a bola que ele lhe atirava. Ela apanhava-a, levava-a até ele e recusava-se a entregá-la, o que dava um prazer infindo a Edward. Pois o que era, perguntou-se ele, um *retriever* se não uma espécie de *boomerang* com qualidades sensitivas, uma criatura fascinada pelo seu instinto de apanhar e trazer de volta, apanhar e trazer de volta? Ao passo que um *terrier* tinha determinação. Um *terrier* tinha uma difícil escolha pela frente: se deveria lutar para agarrar-se à bola ou deixá-la ir. Um *terrier* compreendia o terrível dilema de estar vivo, as escolhas impossíveis que tal exigia, a infindável cadeia de cedência, de conquista, de negociação.

Enquanto Edward falava, Iris apertou o xaile à volta do pescoço. O vento fustigava-os por detrás, empurrando-os para a frente. E então Edward fez uma coisa que não fazia há anos: pegou na mão dela.

Ela sabia que não devia falar. Continuaram a caminhar até *Daisy* regressar com a sua bola. Só então Edward lhe largou a mão — e nesse instante foi como se um enorme perdão, maior do que qualquer coisa que ela se atrevera a esperar, tivesse descido sobre eles.

Seis meses mais tarde, os alemães chegaram — e depois, em Lisboa, cheguei eu.

16

— QUERIA QUE ESTIVÉSSEMOS EM BUCARESTE — disse eu.

— Porquê Bucareste? — perguntou Edward.

— Porque, pelo que li, se formos estrangeiros, civis, e se estivermos em Bucareste, somos forçados a permanecer lá até ao fim. É completamente impossível arranjar um bilhete de comboio, e para apanhar um barco teríamos de ir até à Grécia.

— E Iris e Julia?

— Oh, elas estariam nalgum outro sítio. Num sítio seguro. Seríamos apenas tu e eu... e *Daisy*.

— Não conheço Bucareste, Pete. Pelo que ouvi dizer, é bastante sombrio. Talvez pudéssemos viver fora da cidade. Não há florestas encantadas naquela parte do globo?

— E o que iríamos fazer durante todo o dia numa floresta encantada?

— Primeiro, abatíamos algumas árvores para construirmos uma cabana. No inverno dormíamos nus debaixo de uma pele de urso, à frente de uma fogueira.

— E vivíamos de nozes e bagas?

— Estás a brincar? Esquece as nozes e as bagas. Comeríamos como reis. Guisados de javali e cogumelos, saladas de ervas, truta grelhada. Haveria um lago, claro. E, quando nos sentíssemos particularmente carnívoros, podias matar um unicórnio.

— Deve haver alguma penalização para isso.

— Não acredites no que leste sobre unicórnios. Eles são maus. À mínima oportunidade, um unicórnio empala-te no seu corno e atira-te ao ar como se fosses um brinquedo.

— Ouviste isto, *Daisy*? Não te metas com unicórnios.

— *Daisy* estará demasiado ocupada com os esquilos. E depois todas as tardes irei levá-la até ao lago. Ela rebolar-se-ia sobre a truta morta. E assim se passariam os dias.

— Até a guerra acabar.

— Como é que adivinhei que irias dizer isso? És um relógio humano. Só pensas no tempo.

— Não é por ignorar o tempo que este para.

— E não é por prestar-lhe atenção que ele abranda.

— Desculpa. É a minha maneira de ser.

— Não importa. Não há nenhuma floresta. Não há nenhuma Bucareste. São seis e meia em Lisboa, e Pete e Edward têm um encontro marcado com Julia e Iris às oito da noite.

— Maldição!

— Porquê blasfemar? Vai ser divertido. Vamos para a borga.

— Acho que vou eu mesmo contar tudo a Julia. Abrir o jogo.

— Isso nunca é uma ideia tão boa quanto parece à primeira vista. Podias antes ir ter com o unicórnio e pedir-lhe que te derramasse o sangue.

— Sabias que em todos estes anos em que estamos casados eu e a Julia nunca passámos uma única noite separados?

— Que interessante. Escusado será dizer que eu e a Iris passámos muitas noites separados.

— Não foi isso que eu quis dizer. Quer dizer, não foi por isso que disse aquilo.

— Eu sei porque o disseste. É a resposta para a tua própria pergunta. É por isso que nunca lhe deves contar, é por isso que não o farás.

17

Tínhamos, subitamente, uma rotina. Iris era o seu orquestrador, o seu arquiteto. Todos os dias, ela permitia que eu e Edward tivéssemos quatro horas para nós mesmos, mais ou menos entre as quatro e as oito horas, durante as quais ela levava Julia para irem fazer excursões — presumo que para a despistar. Depois, às oito, fazíamos o reconhecimento na Suíça — para tomarmos umas bebidas, jantar e mais bebidas. Além de obrigar Edward a levar *Daisy* consigo, aquela era a única outra condição que Iris impunha — que nunca deixássemos de comparecer a este encontro. E nunca deixámos de comparecer.

Devo dizer que aproveitaram diligentemente as suas tardes, as nossas mulheres. Visitaram a Exposição e foram ver o *Clipper* a aterrar sobre o rio («como um inseto aquático a aterrar sobre um lago», disse Julia) e beberam martínis no Aviz, o hotel mais pomposo de Lisboa, onde viram de relance Schiaparelli.

Eu e Edward, em comparação, fomos inconsistentes. Se conseguíssemos, ocupávamos um quarto no bordel da Rua do Alecrim. Contudo, era mais frequente o bordel estar cheio e nós não tínhamos outra alternativa a não ser vaguear pela cidade, sem destino e inquietos, incessantemente buscando por um sítio onde pudéssemos estar sozinhos. E quão difícil isto acabou por se revelar, pois Lisboa estava a rebentar pelas costuras naquele verão. Os amantes ilícitos compreendem melhor do que os outros o mal-estar que resulta de ter de tratar de assuntos privados em público. É semelhante à tentativa de nos encaixarmos na última faixa de sombra refrescante num passeio escaldante. Quando não tínhamos outra alternativa, refugiávamo-nos nas casas de banho dos homens, com as nossas calças para baixo, e Edward agarrando *Daisy* debaixo do braço esquerdo, como se fosse uma carteira. Ou então íamos dar uma volta no *Buick*, com a esperança infundada de encontrar algum lugar no campo onde nenhum autocarro ou carroça puxada por burros nos interrompesse. Uma vez conseguimos encontrar de facto um lugar assim — um pinhal, poucos quilómetros a seguir a Sintra. Saímos do carro e, com a economia de movimentos que lhe era característica, Edward despiu-nos, deitou-se sobre a capota do carro e puxou-me para cima de si. E o silêncio dessa tarde! Não se ouvia um único ruído, nem mesmo pássaros a cantar. Tudo o que consegui ouvir foi o ranger dos pneus. Através da copa das árvores, faixas de raios de sol incidiam tão intensas que posteriormente as minhas costas ficaram vermelhas.

— Deixei a minha marca em ti — diria Edward, acariciando-me a pele com um cubo de gelo.

Nessa última hora em que estávamos juntos, atrasávamo-nos sempre. «Rápido, por favor, já são horas», disse o sol abrasador, no seu ponto mais alto, mesmo antes de desaparecer. Nunca havia a oportunidade para tomar um banho. Quando era altura de nos encontrarmos com as nossas mulheres na Suíça, estávamos sujos e a feder, e invariavelmente atrasados. No entanto, se a Julia isto pareceu estranho, nunca o deu a entender. Penso que a sua ideia do que os homens faziam juntos era estreita e enraizada nas memórias dos seus irmãos, que bulhavam e andavam aos socos uns com os outros. Bom, talvez ela presumisse que nós tínhamos andado à bulha. Ou a dar socos um ao outro.

Quando atravessávamos o Rossio e a Suíça ficava à vista, eu e Edward parávamos de conversar. Instintivamente, afastávamo-nos um pouco. Depois, *Daisy* via Iris e puxava pela trela, e Iris, como se estivesse sintonizada com o entrechocar das placas de Daisy da mesma forma que o cão de Pavlov estava com o clique do seu metrónomo, acenava e gritava: *Daisy*! *Daisy*! Com o cabelo desarranjado, o pescoço de cegonha molhado de suor, debatia-se como uma diva numa cena louca. Enquanto Julia, clara e pálida, ficava completamente imóvel.

Depois, sentávamo-nos, eu e Edward, e havia um breve e terrível momento, como quando o carro para numa subida íngreme num sinal vermelho e nós temos simultaneamente de largar o travão e engatar a mudança. Durante uns segundos angustiantes, as rodas rodam para trás, o asfalto parece fugir debaixo de nós — até que o motor social nos traz novamente à vida. Alguém perguntou como o dia de alguém se tinha passado. Iris levantou *Daisy* e pô-la no colo. O álcool ajudava. Bebemos muito em Lisboa. Toda a gente bebia. Porque a realidade era que as rodas *estavam* a rolar para trás, o asfalto *estava* a fugir debaixo de nós. Porém, pelo modo como as pessoas prosseguiam caminho, podia pensar-se que aquele era um passeio alegre.

Numa noite, encontrámos os Fischbeins.

— Ah, os americanos! — exclamou Monsieur Fischbein, erguendo o seu copo de cerveja para fazer um brinde. — Sabem o que descobri nestes últimos dias? O passaporte americano é o *sésame ouvre-toi*. À vista do meu, todas as portas se fecham.

Ele riu — e, desta vez, a sua mulher, tricotando o que parecia ser um laço, não se deu ao trabalho de ficar embaraçada com o marido. Ele continuou e explicou que, tendo-lhes sido negado o visto pelos americanos, haviam tentado os argentinos, os brasileiros, os mexicanos e os cubanos, até acabarem por se voltar para os cambojanos, dos quais se podia, numa emergência, obter um visto a um preço que variava de acordo com a procura, «como na Bolsa». Evidentemente, acrescentou Monsieur Fischbein, um tal visto não tinha valor real. Eles não eram assim tão tolos para imaginar que conseguiriam alguma vez chegar ao Camboja.

— Mas é muito bonito de se olhar — abriu o passaporte para no-los mostrar — e é o suficiente para nos permitir renovar as nossas licenças de residência durante mais um mês.

— E dentro de um mês? — perguntou Edward.

— Dentro de um mês, quem sabe? Teremos conseguido outro visto de um outro país inatingível. Ou estaremos fora. Ou estaremos mortos.

Penso que isto se deu no terceiro ou no quarto dia dessa última semana — isto é, no terceiro ou no quarto dia depois de eu e Iris termos tido a nossa pequena conversa no British Bar. Uma jovialidade postiça permitiu que conseguíssemos sobreviver àqueles serões, o fingimento de que éramos apenas dois casais a saírem juntos à noite na cidade e não aquilo que realmente éramos, e que era uma pequena trupe de três de *commedia dell'arte*, fazendo a sua pantomima para uma assistência inadvertida de uma só pessoa... Sim, estou certo de que se nos vissem naquelas noites pensariam que éramos os melhores amigos, a comer lagostas e a beber vinho verde[1] e a conversar sobre... o quê? Política. Livros. (Na maior parte, sobre os livros de Edward e de Iris.) E sobre assuntos tão

---

[1] Em português no original. *(N. da T.)*

graves e sérios quanto: Tinha Salazar uma amante alemã? Era Wallis Simpson hermafrodita? Seria a mulher na mesa ao lado a grã-duquesa do Luxemburgo? Pensámos que podia ser. Não tínhamos a certeza. Porque, no que diz respeito a esse assunto, nenhum de nós tinha a mais pequena ideia do aspeto da grã-duquesa do Luxemburgo, e não era isso hilariante? Tudo era hilariante, a hilaridade era a forma que tínhamos encontrado para mantermos à distância os instintos vulgares que espreitavam debaixo da mesa: luxúria e inveja e inimizade e vontade de matar... Nem era assim tão difícil continuar com a representação, pois que outros papéis éramos impelidos a representar a não ser os de nós mesmos — Iris nervosa e conversadora, Edward taciturno e acerbo, eu ansiosamente atento a Julia? E que ironia! De nós quatro, Julia era a única que não conseguia conformar-se a um tipo — e era a única que não estava a representar. Desde Sintra que era assim. Ela estava — como dizer de outra forma? — de boca fechada. Não estava carrancuda, nem irascível ou petulante. Simplesmente de boca fechada. Em público, mantinha uma postura de irrepreensível civilidade. Não importa o quão desconfortável fosse a cadeira, mantinha-se ereta. Não importa o quão peculiar fosse a comida posta diante de si, comia uma porção aceitável desta. Até mesmo as habituais lambidelas de *Daisy* nos seus tornozelos ela tolerava sem protestar. Achei aquilo tudo estranho. Para mim, uma mudança de temperamento é sempre mais assustadora do que uma mudança de ideias.

Perguntei a mim mesmo se Iris teria alguma coisa que ver com aquilo. Além dos pormenores dos seus passeios turísticos, Julia nunca falava das tardes que passavam juntas. No entanto, Iris certamente diria alguma coisa a Julia no decorrer daquelas tardes. Sem dúvida que sim, pois estava determinada em lembrar-me, a cada oportunidade, a dependência da minha mulher em relação a mim, e como poderia ela resistir a fazer tudo o que estivesse ao seu alcance para fomentar aquela dependência? O que mais me incomodava era que Julia acreditava que Iris se importava consigo. Mas Iris não se importava com ela. Só se importava consigo mesma, e em continuar junta com Edward. E assim, enquanto estava sentado à mesa de jantar naquelas noites, vinha-me subitamente à cabeça a ideia de que havia outra coisa da qual tinha ainda de proteger Julia: tinha de protegê-la de Iris. O que poderia ser precisamente o que esta pretendia — que eu sentisse as amarras do dever conjugal a apertarem-se à volta do meu pescoço. Sim, éramos todos agentes duplos...

18

De regresso ao Francfort, sozinha comigo no nosso quarto, Julia estava ainda mais reticente do que durante o jantar. Ela concluiu rapidamente a sua complexa toilete, esfregando um tipo de creme na cara e outro nas mãos, um terceiro debaixo dos olhos, antes de se sentar para se entregar ao ritual da última paciência que fazia todas as noites antes de ir para a cama, como que para conquistar as boas graças de algum deus do sono. Só que agora fazia-a em silêncio.

Tentei fazê-la falar. Fiz-lhe perguntas. Perguntei-lhe sobre o que conversava com Iris quando estavam sozinhas.

— Sobre as coisas habituais.

— Tais como?

— Isto e aquilo.

— E sobre mim? Falam sobre mim?

— Porque é que os homens pressupõem sempre que as mulheres falam sobre eles?

— Bem, e não é verdade?

Ela abanou a cabeça ironicamente. O jogo tinha chegado a um impasse. Baralhou novamente as cartas. Era frequente depararmo-nos com barreiras comunicacionais deste tipo. Enlouquecia-me. O problema não era que Julia nunca tivesse antes simulado indiferença. Tinha-o feito. Uma vez, ficou assim durante dez minutos inteiros — até deixar cair a máscara, sem que eu a espicaçasse, e contar-me o que estava errado. A Julia que eu conhecia, embora pudesse ser ardorosa, nunca era sistemática. Podia começar alguma coisa, mas nunca perseverava nela durante muito tempo. E, assim, este regime de silêncio que ela mantinha há dias — sem fraquejar, sem pestanejar — deixava-me perplexo. E, no entanto, não me atrevia a dizer nada, com medo do que pudesse provocar.

Agora o que estava a acontecer parece mais claro. A vida dupla começava a notar-se. Estava a fazer com que me sentisse em conflito comigo mesmo. Por um lado, ainda via como meu dever proteger Julia. Por outro... Mas esse era o problema, o outro lado. Era sempre, e apenas, sobre Edward. E Edward, por seu turno, estava a tornar-se cada dia mais distante. Não conseguia identificar exatamente como. Era mais uma perceção instintiva — de que ele estava gradualmente a bater em retirada do fervor que tinha marcado a fase inicial do nosso romance. Pois conhecíamo-nos há mais de uma semana e, pelos parâmetros do verão de 1940, uma semana equivalia a um ano, a cinco anos, a uma eternidade.

Por fim, acabei por perder a paciência.

Foi durante uma das nossas tardes fora. Pelo segundo dia consecutivo, a Señora Inés não tinha quartos e pareceu-me que Edward não ficou suficientemente desapontado com isso. Não apenas isso como ainda, quando lhe perguntei aonde gostaria de ir em alternativa, respondeu evasivamente.

— Decide tu — disse ele.

— Talvez pudéssemos ir dar uma volta de carro — sugeri eu.

— Sim, porque não? — respondeu. — Porque não ir dar uma volta de carro?

Fui pela estrada do Estoril. Quando passámos pelas docas, ele segurou em *Daisy* e pô-la com a cabeça de fora da janela, para que fosse a cheirar o ar.

— Porque é que sempre que saímos da cidade vamos para norte? — perguntou ele.

— Ai vamos? — disse eu. — Não me tinha apercebido... Bem, presumo que seja por ser o caminho que fizemos naquela primeira noite, quando fomos ao casino.

— Mas há muitos mais caminhos por onde poderíamos seguir. Por exemplo, podíamos ir para sul.

— Queres ir para sul? Muito bem. Vou dar a volta.

— Não dês a volta por minha causa. Tanto me faz.

— Então porque é que falaste nisso?

— Por nada.

Eu contive-me para não lhe responder.

— Num certo sentido, podia dizer-se que o nosso fracasso reside em não criar hábitos.

— O quê? Qual fracasso?

— Peter. Estou a citar de *A Renascença*. «Não descriminar a cada instante alguma atitude apaixonada naqueles à nossa volta é, neste dia breve de geada e de sol, o mesmo que adormecer antes do anoitecer.» Acho que é isto que diz. Desculpa, *Daisy*, as minhas pernas estão a ficar dormentes. — Ele levantou-a, descruzou as pernas, voltou a cruzá-las na outra direção. — É o modo burguês de criar uma rotina, de comer sempre no mesmo restaurante, dar sempre os mesmos passeios. E depois encontramos um sítio novo e pensamos que podemos libertar-nos. Sentimos a frémito do desconhecido, dizemos a nós mesmos que, desta vez, iremos realmente explorar. Só que nunca dura.

— Mas no nosso caso isso não é verdade. Já estivemos por toda a Lisboa.

— No início. Depois, o perímetro ficou mais reduzido. Rua do Alecrim, o British Bar, a estrada para o Estoril.

— Está bem, então, e o que dizes a isto: viramos na próxima cortada. Aonde quer que a próxima cortada nos leve, seguiremos em frente.

Mas a próxima cortada, por coincidência, levou-nos até ao pinhal onde tínhamos parado poucos dias atrás. Agora, um *Cadillac* com matrícula polaca estava ali estacionado. Enquanto o motorista fumava, dois casais faziam um piquenique na areia.

— Como se atrevem? — disse eu. — Será que não compreendem que temos prioridade?

— Não vejo porque estás a levantar problemas — respondeu Edward. — Têm tanto direito de ali estar como nós.

— Estava a brincar.

— Estavas? Não percebi.

Fiz marcha atrás. Determinado a fazer com que nos perdêssemos, virei na primeira cortada que surgiu, depois na cortada a seguir, depois na primeira imediatamente a seguir. Mas as cortadas insistiam em regressar a si mesmas, trazendo-nos inevitavelmente de volta à estrada original, aquela que eu pretendia evitar. Havia pessoas por toda a parte. Até mesmo quando parámos para urinar — nós os três a fazer chichi em fila, Edward e eu de pé, *Daisy* placidamente agachada —, um grupo de freiras interrompeu-nos, com os seus guarda-sóis tão negros quanto os seus hábitos. Um pouco mais à frente, três crianças escanzeladas tentavam fazer com que um gato fumasse um cigarro. Voltámos para a estrada, para nos vermos presos atrás de um camião velho que transportava uma enorme quantidade de cortiça, em rolos, como se fossem paus de canela gigantes. Não havia espaço suficiente para ultrapassar. Passados cerca de vinte minutos, chegámos a um cruzamento.

— Seja para onde for que o camião vire, vou para a direção oposta — disse eu.

O camião foi para a direita. Eu fui para a esquerda. Um carro estacionado ficou à vista. O *Cadillac*. Os piqueniqueiros polacos.

— Andamos às voltas — disse eu. — Durante o dia inteiro, andámos simplesmente às voltas.

— Como a Francesca da Rimini — acrescentou Edward.

— Mais uma alusão para a qual sou demasiado ignorante — respondi.

— Ah sim? Depreendi que ensinariam Dante em Wabash — disse Edward.

Parei na berma da estrada.

— Sai — ordenei. — Podes ir a pé para Lisboa.

— Muito bem. — Edward saiu do carro agilmente, pôs a trela a *Daisy*. Bati com a porta e pisei a fundo no acelerador. Queria que os pneus chiassem.

Uns sessenta metros mais à frente, parei. Numa fúria, fiz marcha atrás, levantando uma nuvem de pó. A nuvem assentou, revelando Edward e *Daisy*. Não tinham saído do mesmo lugar.

Empurrei a porta do lugar do passageiro, abrindo-a. A expressão que Edward tinha quando entrou era uma expressão que nunca lhe tinha visto antes. Não havia sentido de humor nela, apenas resolução e enfado.

— Olha para ela — disse ele, levantando *Daisy* no ar. — Está com pó no pelo, pó nos olhos. Ela odeia quando o pó lhe entra para os olhos.

Por esta altura, a minha cólera tinha-se extinguido, deixando no seu rasto um arrependimento nauseado.

— Edward, desculpa — disse eu. — Mas tu é que me conduziste a isto.

— *Eu* conduzi-te? És tu que vais a conduzir.

— Olha, pelo menos não te abandonei aqui. E podia tê-lo feito. Tal como me abandonaste no quarto.

— Se tivesses, pelo menos teria sido interessante.

— Ah, então além de ser ignorante, também não sou interessante? Está-te entranhado, não é? Exibir-te às pessoas, não perdendo uma oportunidade de lhes lembrar o quão decepcionantes são, o quão tu és mais esperto do que elas...

— Fica quieta, *Daisy*! — Pôs-se a bater no focinho de *Daisy* com as fraldas da camisa, as quais tinha humedecido com cuspo. — Olha, realmente não percebo porque estás a exaltar-te assim. Quando não entenderes alguma coisa que eu diga, só tens é de pedir-me para explicar.

— Começo a ficar farto de te pedir para me explicares.

— Mas como? Como pode alguém ficar farto de perguntar a outra pessoa para explicar alguma coisa? Estou sempre a pedir que me expliques as coisas. Como é que, por exemplo, se chama aquela coisa.

— O obturador de arranque.

— Isso, o obturador de arranque.

— Mas não é a mesma coisa. É o professor a perguntar à criada o que ela usa para limpar a casa de banho, por oposição à criada a perguntar ao professor, não sei, quem era Aristóteles.

— Se eu fosse o professor, ficaria encantado por a criada me perguntar quem era Aristóteles.

— Mas a criada pode chegar ao ponto de... Olha, vamos parar aqui, está bem? Limitemo-nos a concordar que és mais esperto do que eu e deixar as coisas assim.

— Meu Deus, isto é mesmo como a Francesca da Rimini. Exatamente como a Francesca da Rimini.

— Estás empenhado em dizer-me quem ela era, não estás? Muito bem, força, diz-me.

Ele pigarreou.

— Francesca apaixonou-se pelo irmão do marido — disse ele. — O marido era anão ou corcunda ou alguma coisa desse género, e o irmão era nobre e belo e tocava alaúde. Sentavam-se os dois numa alcova, Francesca e o irmão, e ele tocava o seu alaúde e lia-lhe em voz alta a lenda de Lancelot e Genebra, até que chegou aos ouvidos do marido-anão o que se estava a passar, e este mandou-os matar. Por isso, foram consignados ao Segundo Círculo do Inferno, onde deveriam ficar a rodopiar para todo o sempre num turbilhão feroz, o destino, a crer em Dante, de todos os amantes ilícitos.

— E é aí que nós estamos? No Segundo Círculo do Inferno?

— Talvez. Ou talvez seja o Décimo Fosso do Oitavo Círculo, a zona reservada aos alquimistas, falsificadores, impostores e perjuros. Diria que é uma descrição fidedigna de Lisboa, não te parece? Georgina Kendall é uma falsificadora. Tu és um alquimista. Eu sou um impostor. Somos todos perjuros, à exceção de *Daisy*. Jamais uma mentira saiu dos seus lindos lábios negros.

Como que em resposta, *Daisy* emitiu um barulho entre o gemido e o uivo. Olhei para ela para me certificar de que estava bem. Edward tinha os olhos fechados. Com a mão direita, afagava as orelhas de *Daisy*.

— Sabes, estás errado em pensar que sou inteligente — disse ele. — A verdade é que sou apenas um monte de lixo. Todas estas alusões e referências, estas pequenas associações que faço, são lixo. Tudo o que faço durante o dia todo é examiná-las, alinhá-las e movimentá-las de um lado para o outro.

— Não me importo com as tuas alusões. Quer dizer, não foi por causa disso que te mandei sair do carro. A princípio, pensei que sim. Mas não foi.

— Então porque foi?

— Queria só que soubesses o que queres. De mim. Disto.

— Disto?

— Disto.

— O que eu quero — disse Edward meditabundo. — Todas as pessoas me perguntam isso, quando a verdade é que não tenho a certeza de que alguma vez *quis* realmente alguma coisa. Não, não é verdade. Eu não quero fazer os outros infelizes. E, de alguma forma, acabo sempre por fazê-lo.

Silenciosamente, sem repararmos, Lisboa tinha-nos novamente alcançado. Olhei para o relógio no painel de instrumentos. Oito e um quarto.

— Vamos chegar atrasados outra vez — disse eu.

— Não interessa — disse Edward. No entanto, quando saímos do carro, ele pegou *Daisy* ao colo, possivelmente para chegarmos mais rapidamente. Tinha a camisa, reparei, realmente imunda. E como iria ele explicar isso a Iris quando chegasse a altura, quando estivessem sozinhos no seu quarto no Francfort Hotel, e todos os outros hóspedes estivessem a dormir, e a luz do amanhecer se derramasse pelo céu? Mais uma cena que a pobre *Daisy* iria testemunhar silenciosamente. Mas Edward estava certo: nenhuma mentira jamais sairia dos seus lábios, nem tão-pouco, fosse ela agraciada com a dádiva da palavra, diria uma palavra contra os seus donos. Nem mesmo a mim.

Daisy, eras uma boa rapariga. Que possas para sempre pular nesse paraíso para aonde os cães bons são enviados. Que haja nele uma plenitude de carcaças de peixes por onde te possas rebolar. E se não for pedir demasiado, possas tu perdoar-me por ter-te atirado poeira para os olhos.

19

Eram quase oito e meia quando chegámos ao Rossio. Mal avistou *Daisy*, Iris levantou-se e acenou, como sempre, enquanto Julia, como sempre, continuou sentada na sua cadeira, fumando e olhando para longe. Na sua imobilidade, parecia uma daquelas sonolentas madonas setecentistas, cujos sorrisos desmentem a apoteose e o horror vindouros.

— Desculpem o atraso — disse Edward, enquanto nos sentávamos.

— O que é que aconteceu à tua camisa? — perguntou Iris.

— O que é que lhe aconteceu? Aconteceu-lhe a sujidade — respondeu Edward.

— E *Daisy*, está coberta de pó.

— Os cães costumam ficar cobertos de pó. Especialmente os cães brancos. São riscos do ofício.

Iris levantou *Daisy*, pô-la no colo e começou a limpar-lhe o pelo.

— Gostava que tivesses mais cuidado com ela — disse ela para Edward, tirando alguma coisa do pelo de Daisy e examinando-a entre os dedos.

— Minha querida, se eu pudesse controlar o clima, controlava, mas é uma coisa que não está ao meu alcance —

replicou ele. — Quando não chove, a terra fica seca. Quando a terra fica seca, os cães ficam cobertos de pó.

— Tenho de dar-lhe banho esta noite. — Com um só movimento, Iris pousou *Daisy* e levantou-se. — Bem, é melhor irmos andando. Temos uma reserva no Negresco.

— Mas ainda não pedi uma bebida.

— Se querias uma bebida, devias ter chegado a horas. Podes pedir a tua bebida quando lá chegarmos.

Com um cansaço exagerado, que chegava a ser cómico, Edward ergueu-se a custo da cadeira. Iris entregou-lhe a trela de *Daisy*. Uma vez mais, eis aquele misterioso movimento de casais a desagregar-se e a reagrupar-se, como num terminal de comboios, só que agora era Iris e eu que íamos à frente, Julia e Edward que estavam a ficar para trás.

— Pensei que preferia ir atrás do seu marido — disse eu para Iris, mal nos afastámos o suficiente para que eles não nos conseguissem ouvir.

Ela sorriu cripticamente.

— Não lhe ocorreu que devo ter alguma razão para querer que nós os quatro jantemos juntos todas as noites? — disse ela. — É porque quando estamos juntos sei que ele não irá desaparecer. É o *chevalier servant* que existe nele, nunca seria capaz de fazer nada menos cavalheiresco em frente de uma senhora. Bem, além de mim. E, tem de admitir, é justo que eu lucre alguma coisa com este nosso acordo.

— Tal como?

— Horas de sono. Desde que você apareceu em cena, tenho andado a dormir melhor do que acontecia desde há anos. Sei que quando acordar, ele vai lá estar.

Não respondi. Enfiei as mãos nos bolsos, agarrando as chaves no punho. De alguma forma, o peso delas, naquele instante, era reconfortante.

— E enquanto estamos ainda no tema do casamento, como estão as coisas com Julia? — perguntou Iris.

— É engraçado, tinha esperança de que mo dissesse.

— Como haveria eu de saber?

— Um pressentimento que tenho.

Ela riu sobranceiramente.

— Como é habitual, você sobrestima os meus poderes de clarividência.

— Não é a sua clarividência que me preocupa. É a sua influência.

— Influência! O que pensa que sou, uma manipuladora?

— Não sei. É esse o problema. Desde que a conheceu, Julia tem estado a agir... bem, de uma forma que nunca tinha feito antes.

— E você acha que sou responsável por isso? — Iris fez um estalido com a língua, em sinal de reprovação. — Esta tendência que os homens têm de culpar toda a gente menos a si mesmos pelo que acontece! É quase cómico... Não lhe ocorreu que pode ter sido desde que conheceu *Edward* que ela tem estado a agir de forma diferente? Ao fim e ao cabo, é com ele que você anda a dormir.

Olhei por cima do ombro para ter a certeza de que eles não conseguiam ouvir-nos.

— Seguindo o seu conselho, tenho-me certificado de que ela não o saiba.

— Ah, é verdade, não lhe atirou isso à cara. Mas isso não significa que ela não *saiba*. Ela sabe que alguma coisa se passa mesmo que não saiba o que é. O que ainda piora as coisas.

— Então porque não contar-lhe?

— Bem, porque não acabar com Edward, já agora?

— Acho que está enganada. Não penso que Julia faça a menor ideia do que se está a passar... E, de qualquer modo, se eu fosse esse patife que julga que sou, podia simplesmente dizer-lhe: «Muito bem, ficas em Sintra, e eu vou-me embora. Quando chegar a casa, envio-te dinheiro.» E assim não haveria nenhum obstáculo a que eu continuasse com Edward quando regressássemos a Nova Iorque. Mas eu não fiz isso. Recuso-me a abandonar a minha mulher.

— É muito nobre da sua parte.

— O que quero dizer é que gosto o suficiente de Julia para a proteger. É isso que você quer, não é?

— Ou não será antes que tem medo de vir a sentir-se culpado? Não que isso faça diferença, porque você está iludido. Julia tem outras coisas em que pensar além de regressar para casa.

— Tais como?

Iris levou a mão à testa.

— Oh, como dizê-lo?... Depreendo que já se tenha passado uma longa temporada desde a última vez em que você e ela tiveram... como é que o tribunal as designa? Relações conjugais?

— Ela disse-lhe isso?

— Claro, se fosse um estado habitual, seria uma coisa. Mas dado que até agora vocês têm sido um par tão apaixonado... uma média de duas vezes por semana, não é verdade?

— Cale-se. Não consigo acreditar que ela lhe tenha contado isso.

— Você não sabe mesmo muito sobre mulheres, pois não? Não que *isso* seja de admirar. — Ela parou e virou-se para me olhar nos olhos. — Muito bem, vou dar-lhe algumas informações instrutivas. As mulheres não são como os homens. Falam sobre tudo umas com as outras. Sobre tudo... Mas, Pete, você parece absolutamente surpreendido! Pobrezinho, é tão inocente nalgumas coisas. É tão *novato*. Você acha que há um protocolo para tudo isto, que se fizer amor com a sua mulher será o equivalente a enganar o seu amante. Mas aqui não há regras. Estamos além das regras... De qualquer modo, se está preocupado com o que Edward pensará, pode ficar descansado. Prometo não deixar escapar uma palavra. Será o nosso pequeno segredo.

— E porque haveria eu de confiar em si nalguma coisa?

— Não deveria. Mas deveria acreditar em mim.

Os nossos cônjuges estavam agora ao nosso lado.

— Desculpem — disse Edward, um pouco ofegante. — *Daisy* atrasou-nos.

— Não devias deixá-la parar para lamber tudo pelo caminho — disse Iris. — Sabe Deus o que há por esses passeios.

— O problema não é ela parar para lamber tudo. O problema é que ela está velha. Não consegue mexer-se como se mexia dantes.

— Ela mexe-se bastante bem quando está comigo. — Iris fez um barulho parecido a uma mudança de direção. — Ah, Peter, andava a querer dizer-lhe que esta tarde Julia mostrou-me as fotografias do vosso apartamento na *Vogue*. E acontece que nós já as tínhamos visto, só que não nos apercebemos de que eram do vosso apartamento.

— Não me surpreende, uma vez que não aparece o nosso nome.

— Pensei que o casal em causa se chamava Cliente — disse Edward.

— São aposentos bastante *dramáticos* — disse Iris. — Tão... despojados.

— É verdade — disse eu. — Sempre que me encontrava num, sentia-me como se estivesse a estragar algum efeito.

— Por curiosidade, porque é que *não* deram o vosso nome? — disse Edward.

— Por decisão da Julia. Lembro-me de que na altura eu disse: «Mas, querida, se não dermos o nosso nome, como é que a tua família saberá que é o teu apartamento?» E ela retorquiu: «A minha família consideraria o cume da vulgaridade dar o nosso nome.» Bem mais do que ela gostaria de admitir, a minha mulher sai à sua mãe.

— A tua memória está a falhar — disse Julia. — Tomámos a decisão conjuntamente. Não queríamos que parecesse que estávamos a querer ostentar.

— Sim, mas então porquê pôr o apartamento a aparecer na *Vogue* se não for para o ostentar? — perguntei.

— Não te faças de engraçado.

— Na realidade, penso que Peter está certo — afirmou Iris. — Um apartamento daqueles é para ser ostentado. Eu certamente iria querer ostentá-lo.

— Seja como for, não percebo porque estás a levantar tantos problemas agora — disse eu. — Da forma como estás a falar, até parece que foste lá feliz.

— Claro que fui lá feliz.

— A sério? Se bem me lembro, estavas sempre com medo de entornar alguma coisa no tapete, ou deitar abaixo um candeeiro, ou riscar alguma coisa. Era por isso que nunca tínhamos convidados.

— Isso não é verdade. Tínhamos convidados.

— E depois aquela secretária com tampo de pele que não me deixavas usar...

— Uma secretária daquelas não se *usa*...

— Então para quê tê-la?

— Viver entre coisas belas é em si mesmo a recompensa.

— Concordo — anuiu Iris. — Coisas belas conduzem a pensamentos belos.

— Naquele apartamento, nunca foram pensados pensamentos belos — disse eu azedamente. — Pelo menos, por nenhum dos seus habitantes.

— Há algum motivo para estares a ser tão horrível? — perguntou Julia.

— Gostava que o vosso decorador tivesse tido uma palavra a dizer na nossa casa — disse Iris. — Tanta desarrumação! Eddie é uma daquelas pessoas que nunca se desfaz de nada.

— Como se fizesse agora alguma diferença — comentei eu.

— O que queres dizer? — perguntou Julia.

— Bem, há alguma probabilidade de qualquer um de nós alguma vez regressar a França?

— Iris, vai ter de me desculpar — disse Julia. — Não estou a sentir-me muito bem. Penso que não esteja capaz de jantar.

— Julia — disse Iris.

Mas ela já se tinha ido embora. Era surpreendente a rapidez com que minha mulher se conseguia mover quando queria. Nesse aspeto, era parecida com *Daisy*.

Subitamente, Iris virou-se para mim.

— Santo Deus, o que é que lhe passou pela cabeça? — perguntou ela.

— O que quer dizer? Se ela não está a sentir-se bem...

— Está louco? Vá atrás dela. Ela pode fazer alguma coisa.

— Sim — repetiu Edward, quase sibilando. — Vai atrás dela.

Olhei para ele. Tinha a cara contorcida com uma expressão próxima de raiva. E eu pensei: *Claro. Ele não consegue aguentar as cenas das outras pessoas — só as dele.*

20

Quando regressei ao Francfort, a chave não estava pendurada na receção. Ao constatá-lo, senti-me simultaneamente contente e desapontado, se tal é possível.

Lentamente, subi as escadas...

Não escrevi muito, nestas páginas, sobre a dimensão sexual do meu casamento com Julia. Tendo em vista a história que estou a contar, poderão pensar que tal se deve ao facto de o nosso casamento ser um fracasso sexual. Na realidade, ele era, contudo, um sucesso sexual. Com isto quero dizer que, no quarto, eu e a minha mulher éramos felizes juntos de um modo em que raramente o éramos na sala de estar ou na sala de jantar, muito menos em restaurantes e cafés e carros. Contudo, as noções inatas, ainda que peculiares, de Julia em relação ao que consistia a discrição eram de tal ordem que, quando ela era viva, eu não teria falado destes assuntos com estranhos, como tão-pouco a teria forçado a ver o seu nome escrito nas páginas da *Vogue*. Foi por este motivo que fiquei tão desconcertado ao tomar conhecimento de que ela tinha feito confidências a Iris. Fazer confidências a *qualquer pessoa* era contra a sua natureza. Sugeria que ela estava em agonia. E, se era verdade que os nossos hábitos sexuais se tinham alterado desde a nossa partida de Paris, também os nossos hábitos alimentares, os nossos hábitos de sono, as nossas digestões o tinham. Nunca me ocorrera que Julia pudesse ver na cessação das nossas relações conjugais (para citar a encantadora expressão de Iris) um significado diferente do das outras perturbações por que tínhamos passado — nem, aliás, que aquela pudesse *ser* mais significativa do que as outras perturbações por que tínhamos passado. Como Edward havia observado, eu não estava habituado a uma vida dupla.

Fui encontrá-la sentada à frente do toucador, a fazer paciências com mais veemência do que era usual.

— O que estás a fazer aqui tão cedo? — perguntou.

— Quis ter a certeza de que estavas bem — respondi eu.

— Bem, como podes ver, estou ótima — disse ela. — Por isso podes voltar para o restaurante.

— Não vale a pena — disse eu. — O jantar foi cancelado.

— Porquê?

— Pensaste mesmo que nós os três ficaríamos na mesma e iríamos jantar sem ti?

— Por acaso, pensei.

— Bom, não fomos.

Ela voltou ao seu jogo. O som que as cartas faziam ao tocarem na mesa era parecido com o que fazemos quando estamos a manejar um mata-moscas. Cerco ao Castelo, era assim que se chamava esta variante da paciência.

Desfiz o nó da gravata, estendi-me na cama e pus os braços por trás da cabeça. Na mesa de cabeceira dela, estava pousado, aberto, *A Nobre Saída*. A julgar pelo marcador, ela lera cerca de metade do livro.

— O que te parece até agora? — disse eu, agarrando no livro.

— O quê?

— O romance deles.

— É razoável, suponho. Mas, claro, conseguimos adivinhar facilmente como vai acabar.

— Então já leste o final?

— Claro que não li o final.

— Então como é que sabes como vai acabar?

— Não sei. Posso estar enganada. Provavelmente estou.

Ela lançou outra carta. Pousei o livro sobre a mesa.

— Julia...

— O quê?

— Porque é que te foste embora tão furiosa?

— Não me fui embora furiosa. Só não me apetecia comer.

— Os Frelengs ficaram perturbados. Estão preocupados contigo.

— Eles vão sobreviver.

— Apercebi-me de que o que disse sobre o apartamento deve ter-te irritado.

— Porque haveria eu de me preocupar com o que pensas sobre o apartamento?

— Então, que tenha falado sobre isso à frente deles.

— Se queres ridicularizar-me à frente de outras pessoas, não há nada que possa fazer em relação a isso, a não ser esperar que elas consigam ver os teus verdadeiros motivos.

— Que são?

— Não faço a menor ideia. Tudo o que fazes deixou de ter sentido.

— Mas, Julia, tens de reconhecer que desde que fomos a Sintra mal me diriges a palavra. É por isso... Bom, é por isso que quis atingir-te.

— Ah, então é por isso. Sintra. Bom, não precisas de te preocupar com *isso*. Já desisti *disso*.

— Mas é isso precisamente o que quero dizer. Não parece teu desistires das coisas.

— Então, o que é que estás a dizer, que queres que eu lute contigo para que possas derrotar-me outra vez? Humilhar-me outra vez? Não, obrigada.

— A Iris disse-te para dizeres isso, não foi?

— A Iris? O que é que ela tem a ver com isto?

— Tenho tido a impressão de que estás, não sei, sob o seu domínio.

— Eu! Se há alguém que está sob o seu domínio és tu. Estás obcecado com ela. Às vezes, pergunto-me se não estarás apaixonado por ela.

— Por Iris? Santo Deus!

— Bom, para teu bem, espero que não, porque nunca chegarás a lado nenhum. Ela nem sequer pensa em ti como um *homem*. Está sempre a falar que és tão querido e tão dedicado e como eu deveria estar reconhecida por me tratares abaixo de cão, porque só o estás fazer para meu próprio bem. Ela não faz ideia.

— Isso é para me magoar? Um golpe no meu ego?

— Encara-o como bem queiras... Gozas com o apartamento, mas eu sonho com ele todas as noites. Que estou de regresso. E uma outra mulher, uma alemã qualquer, está sentada à minha mesa. A usar as minhas coisas. Queria lá ter ficado. Assim, podia tê-lo defendido. Podia ter acabado morta, mas, e então? Tudo o que eu gosto, perdi-o... E, agora, como se as coisas não estivessem suficientemente más, vi a tia Rosalie.

Subitamente, ela largou as cartas. A sua voz estava trémula. Sentei-me na cama.

— Tia quê?

— Tia Rosalie. De Cannes.

— Queres dizer, a ovelha negra?

Ela acenou que sim.

— Foi no Aviz. Estava com a Iris e, de repente, lá estava ela, a pedir uma mesa. Rosalie. E eu entrei em pânico. Fingi que estava maldisposta. Pedi a Iris para tratar da conta e fui a correr para a casa de banho. Acho que ela não me viu.

Eu ri. Não consegui conter-me. Invadiu-me uma sensação de alívio verdadeiramente indecorosa.

— O que é que é assim tão engraçado?

— Nada.

— Então porque é que estás a rir? Isto é tão típico... Massacras-me para te contar as coisas, eu conto, e depois ages como se eu te tivesse contado uma piada.

— Não, não é isso. É só que... Bem, se é verdade que a tia Rosalie está em Lisboa, e então?

— Não é óbvio? Significa que ela vai viajar no *Manhattan*. Vai cair em cima de mim, agarrar-se a mim, da mesma forma que aconteceu quando nos foi visitar em Nova Iorque. A minha mãe nem sequer a queria lá em casa e mesmo assim ela aparecia. E vinha ter comigo à entrada de casa ou à sala de estar (uma vez até veio ao meu quarto) e aproximava tanto a cara da minha que eu até conseguia cheirar o vinho no seu hálito, e depois dizia-me: «Somos parecidas, tu e eu. Como duas gotas de água.» — Julia estremeceu visivelmente.

— E não o são?

— Não somos o quê?

— Parecidas, tal como duas gotas de água.

— Pete!

— Só estou a dizer que as vossas vidas tomaram o mesmo curso. Ambas saíram de Nova Iorque, ambas se estabeleceram em França.

— Como te atreves a comparar-me àquela mulher? Ela é uma parasita. A viver à grande durante estes anos todos, fazendo sabe Deus o quê com sabe Deus quem, e tudo com o dinheiro de Edgar. Dinheiro dos Loewis.

— Mas, Julia, tens mesmo a certeza de que era ela?

— Claro que tenho a certeza de que era ela. Não tenho nenhum problema nos olhos.

— Mas algumas vezes em Paris viste pessoas que pensavas que eram teus familiares, e depois veio a provar-se que não eram...

Ela pousou a cabeça sobre a mesa.

— Agora estás a perceber porque é que não te contei nada disto antes? Sabia que seria assim que irias reagir. Sabia. Todos estes anos, pensei que tinha conseguido fugir, de vez. Mas nunca conseguimos fugir. Não de verdade.

— O quê? De que é não conseguiste fugir?

Ela abanou a cabeça. Não chorou. Ao invés, inspirou fundo, endireitou as costas e pôs as cartas dentro da caixa.

Foi para a casa de banho. Quando saiu uns minutos mais tarde, trazia o pijama vestido.

Eu despi-me e pus-me em pijama. Enfiámo-nos na cama. Tinha-me esquecido de fechar as portadas. Elas filtravam o luar, como o tecido filtra o caldo.

— São os candeeiros da rua — disse eu. — Ainda estão acesos. — Nunca tínhamos ido para a cama tão cedo, por isso nunca soube a que horas eram desligados.

— Não importa.

— E tens a certeza de que não queres que as feche?

— Não importa. — Como era seu hábito, virou-se de costas para mim. Ela estava a manter entre nós o máximo de espaço que a estreita cama permitia. E ainda assim conseguia ouvir as batidas do seu coração, o pulsar daquele pequeno e quente motor, o coração dela; e quem era eu a não ser o mecânico encarregado da manutenção daquele motor — para toda a vida? Não era uma servidão contratualizada. Era o caminho que eu escolhera. Só que nunca tinha previsto que chegaria um dia em que a minha mulher iria querer alguma coisa que eu não podia ou não queria dar-lhe — para seu próprio bem, ou para o meu.

Pressionei a minha mão nas suas costas. Ela tremeu — mas não se retraiu.

— Queres que te coce um pouco as costas?

Ela quase acenou. Percorri levemente as costas dela com as unhas e ela suspirou.

— Nunca mais coçaste as minhas costas. Costumavas fazê-lo. A toda a hora.

— Desculpa. Tenho andado cansado.

— É desde que conhecemos os Frelengs.

— Mas, Julia, não é por causa de Iris...

— Eu não disse que era.

— Não, quer dizer, não é por causa de ti. É que os dias aqui são tão compridos que quando acabam...

— São essas caminhadas todas às voltas com Edward. Esgotariam qualquer pessoa.

— Sim.

— Iris diz que devíamos dar-nos por felizes porque, enquanto vocês os dois estão juntos, pelo menos não estão a cair nas armadilhas das sedutoras estrangeiras. Acho que estou cansada de Iris... Oh, sim, aí. Mais abaixo. Para a esquerda. Um pouco mais acima. Isso aí é uma picada de mosquito?

— Não me parece.

O meu pulso estava a ficar dormente. A respiração de Julia tornou-se mais profunda e à medida que assim ficava fui abrandando o movimento dos dedos, sincronizando-o com a sua respiração. A sensação de alívio que experimentara pouco atrás começava a dissipar-se rapidamente, dando lugar à preocupação e à mágoa. Pois alguma coisa se devia ter passado para Julia, algum reconhecimento de amor sentido ou verbalizado quando tal não deveria ter acontecido, caso contrário ela nunca teria pensado que eu estava apaixonado por alguém. Nunca tinha estado, afinal de contas. Por ninguém, a não ser por ela.

Sentia uma dor de cabeça terrível. O luar, embora sem brilho, trazia intimações de nitidez, como se fragmentos do sol do meio-dia nele estivessem contidos. Tudo o que tinha a fazer era fechar as portadas — contudo, se me levantasse e fechasse as portadas, teria de a deixar — e a isso eu não me atrevia.

— Quando voltarem para os Estados Unidos, eles vão fazer uma digressão para dar conferências — disse ela um instante depois, com a voz sonolenta. — Quarenta cidades.

Eu continuei a coçar. Procurei não coçar com demasiada força.

— Engraçado, Edward nunca o mencionou.

— A sério? Iris não se cala com isso. Ao que parece, ela conseguiu incluir uma cláusula no contrato, estipulando que não podem viajar e atuar no mesmo dia. Alguém lhe disse que era assim que os cantores de ópera faziam, e então ela decretou: «O que serve para os cantores de ópera, serve para os escritores».

— Foi esperto da sua parte.

— Pete... Alguma vez desejaste que não os tivéssemos conhecido? Os Frelengs?

— Tu sim?

— Não sei... Só que às vezes parece que as coisas eram mais simples dantes. Quando éramos só nós. O que estou a dizer... Não faço ideia do que estou a dizer.

— Não te preocupes — respondi eu. — Foi um dia longo. Para ambos. — Desci a mão, até à racha entre as suas nádegas magras, ao que ela deixou escapar um pequeno suspiro agudo, quase um relincho.

Passou-se mais um minuto e ela virou-se para mim.

— Perdoa-me pelo modo como tenho andado a comportar-me — disse. — Tenho-me sentido um caco.

— Disparate — disse eu. — Eu é que deveria estar a pedir-te desculpa.

— Está tudo bem — respondeu ela. — Oh, Pete... O meu Pete...

Depois, ela agarrou-me a mão e pressionou-a entre as suas pernas, segurando-a com as suas poderosas coxas.

— Amo-te — disse eu, sem ter a certeza de estar a mentir, pois não tinha proferido o seu nome.

21

Mais tarde, nessa mesma noite, acordei repentinamente. Durante alguns segundos não soube onde estava nem com quem estava. Não tinha nada vestido, tal como essa pessoa que estava a dormir ao meu lado. Julia nunca dormia despida, por isso, como poderia esta ser Julia? Eu nunca dormia despido, por isso, como poderia este ser eu? Sentei-me — e foi então que vi o pijama dela e o meu caídos no chão ao lado um do outro. Um luar pálido enchia o quarto. Fazia com que a mobília parecesse fosforescente.

Não fazia ideia de que horas seriam. Pensei que deveria ser muito tarde, mas quando fui verificar no meu relógio constatei que eram somente duas da manhã. Normalmente, às duas da manhã nós teríamos acabado de chegar ao hotel, estaríamos a escovar os dentes. Depois lembrei-me de quão cedo tínhamos ido para a cama na noite anterior e com essa recordação veio uma sensação de queda, de estar a ser puxado para baixo, para um agitado estado de vigília, mais profundo do que o sono, mais estranho do que os sonhos. Tão silenciosamente quanto consegui, saí da cama. Vesti-me na escuridão e saí. A luz do corredor feriu-me os olhos. Todas as portas estavam fechadas, até mesmo aquela que pertencia à mulher que Julia tinha apelidado de Messalina, a mulher que ficava o dia inteiro à porta do seu quarto, fumando, esperando por alguém que nunca chegava... O elevador estava avariado, por isso, desci pelas escadas. Tive de dar uma gorjeta ao porteiro da noite, para me certificar de que ele iria deixar-me entrar outra vez. Não havia ninguém nas ruas. Tudo o que se conseguia ouvir era o ruído surdo e distante dos táxis, o arrulho do sono dos pombos. Fui até ao Rossio, onde fiquei durante algum tempo em frente ao Francfort Hotel, olhando para a Lua. Algumas poucas janelas com luz acesa pontuavam a fachada escura. Nenhuma destas, sabia-o, pertencia a Edward, pois o seu quarto e o de Iris, dissera-me ele, ficava virado para o lado oposto, para o mercado. E naquele quarto, o que estaria a acontecer agora? Estariam eles nus? Estaria *Daisy* na cama com eles? Havia tantas mais coisas sobre eles que eu não sabia do que aquelas que eu sabia.

Quanto tempo tinha passado desde que tinha ido de comboio até ao Estoril, esperando que, quando lá chegasse, Edward estivesse à minha espera, e quando cheguei, ele estava à minha espera? No máximo uma semana. E então porque parecia agora pedir demasiado que, se eu fixasse sem fraquejar a porta do Francfort Hotel, ela se abrisse e ele saísse por ela? E ainda assim fiz uma tentativa. Concentrei toda a minha atenção naquela porta, desejei que ela se abrisse, desejei que ele saísse por ela... Mas ele não saiu. Tendo em conta a hora, o Rossio estava tranquilo. Um vagabundo pedia esmola, um velho cantava um fado, do Chave d'Ouro emergiu um casal — o homem de smoking, a mulher com um vestido de noite — e dirigiram-se até à fonte próxima da estátua do Dom Pedro, onde tiraram os sapatos, subiram cautelosamente para o rebordo e entraram na água. Mas um polícia apareceu, e eles saíram e escapuliram-se. Percebi então que tinha duas opções — podia continuar ali a noite toda ou podia voltar para o meu quarto — e assim decidi voltar. Apesar da gorjeta, o porteiro abriu a porta resmungando e, quando lhe perguntei se podia fazer-me uma sanduíche, ou ele não compreendeu o que eu disse ou fingiu que não tinha compreendido. De regresso ao quarto, andei nas pontas dos pés, para não acordar Julia. Despi-me e estava prestes a pôr o pijama quando me lembrei que não o tinha vestido antes de sair para a rua. Nu uma vez mais, entrei na cama, passando por cima de Julia. Ela virou-se de costas. Foi só quando puxei os lençóis para cima que me apercebi de que me tinha esquecido, uma vez mais, de fechar as portadas.

22

Não dormi o resto da noite. Será que existe realmente uma coisa como uma noite passada em branco? Muito mais tarde, um psiquiatra viria a dizer-me que as pessoas que se queixam de noites passadas em branco na realidade dormem — mas sonham que estão acordadas. Para mim, esta é uma daquelas distinções sofisticadas que nada significam.

Seja como for, a recordação que guardo daquela noite é menos a de uma inércia ansiosa do que a de um incessante e esgotante labor. Estava no nosso apartamento de Paris — não no apartamento onde tinha vivido, mas naquele que tinha sido fotografado para a *Vogue*: despido de cor, privado de presença humana, caro, frio, magnífico e austero. Durante toda a noite, percorri os corredores e andei de um lado para o outro pelas divisões, tentando fixá-las na memória, um agrimensor sem ferramentas. Tenho um fraco sentido de orientação — embora seja possível que tenha um relógio dentro da cabeça, não tenho uma bússola — e, como tal, nunca aceitei verdadeiramente que o apartamento estivesse virado para sul de um lado e para o norte de outro, porque para mim parecia-me que estava virado para leste num lado e para oeste no outro. Isso foi outra coisa que fiz durante aquela noite: tentar situar o apartamento no espaço, corrigir a minha perspetiva, alinhar-me a mim mesmo.

Sem dúvida, sentia-me culpado — pelo modo como tinha falado do apartamento, pela arrogância com que tinha tratado Julia. «As coisas belas encerram em si mesmas a sua recompensa», dissera ela — as palavras de que eu tinha feito troça. No entanto, quem era eu para duvidar da sua autenticidade, eu, cujo sentido estético não era mais sofisticado do que o de *Daisy*? A maioria das pessoas é exatamente aquilo que aparenta ser, vim eu a descobrir. Imaginar o contrário — pensar que, na nossa ausência, os nossos entes queridos levam vidas secretas, dormem com o filho da porteira, roubam diamantes — é uma mera distração pessoal. Gostava que Julia não tivesse passado tanto tempo a fazer paciências, mas a verdade é que passou, e por isso fazia sentido que ela tivesse querido um apartamento caro, frio, magnífico e austero onde jogar. Nem aquela mulher que ficava em casa e jogava às cartas era tão distante quanto isso daquela rapariga que tinha desafiado a família e fugido comigo para Paris. Pois a qualidade marcante do carácter de Julia era a rigidez de propósito — e haverá assim tão grande distância entre a rigidez de propósito e a rigidez? Acontece, com demasiada frequência, que o que parece ser uma mudança é na realidade apenas um endurecimento do espírito.

De qualquer modo, *ela* dormiu durante aquela noite. A sua respiração tornou-se mais lenta, a pele arrefeceu. O motor parou. O retomar das relações sexuais, assim me disseram, tem muitas vezes um efeito soporífero nas mulheres. Para mim, era perturbador. Estava agora tão habituado ao corpo de Edward, à sua solidez e penugem e à sua aparente indestrutibilidade que dei por mim a tocar em Julia com um excesso de cautela, como se eu fosse Gulliver e ela alguma noiva liliputiana... Não que a minha mulher fosse uma flor delicada. Longe disso. Embora pequena, ela era robusta — tão robusta quanto Edward. O meu receio de a esmagar fisicamente, sabia-o, era na realidade um receio de a esmagar moralmente... Perguntei-me se isto seria parecido ao que o meu pai sentia, quando voltava da sua amante e se deparava com a minha mãe desmaiada sobre a mesa da cozinha: arrependido, culpado, lamentando — e não desejando outra coisa a não ser sair dali para fora. E, ao mesmo tempo, contente por estar em casa. Há sempre algo de reconfortante no regresso a casa, especialmente quando se esteve a vadiar pelo deserto, bulhando e andando aos socos. É como quando se encontra alguém com quem se partilha uma língua materna após semanas de tropeços por uma língua estrangeira. A fluência é um alívio, ainda que as coisas que mais urgência tenhamos a dizer não sejam as que possamos dizer.

Por fim, o Sol nasceu. Julia saiu da cama. Mantive os olhos cerrados até ouvir a porta da casa de banho a fechar-se. Depois, pulei da cama e vesti-me.

— Oh! — exclamou Julia, quando saiu da casa de banho. — Pensei que estavas a dormir. — Também ela estava vestida. Tinha-se vestido às escondidas, onde eu não a conseguia ver.

— Não, estou de pé. — Apalpei os meus bolsos à procura das chaves. — Bom, estás pronta?

— Estou pronta — disse ela. — Mas, Pete... Esta manhã, não podíamos tomar aqui o pequeno-almoço? No hotel?

— Porquê? O que é que a Suíça tem de mal?

— A Suíça não tem nada de *mal*. Estive a pensar, porquê gastar o dinheiro quando o pequeno-almoço daqui está incluído no preço? E, desde que chegámos a Lisboa, só andamos a esbanjar dinheiro.

— Uma chávena de café não vai fazer diferença.

— Restaurantes, bebidas, gasolina para todas aquelas excursões que fazes com Edward. As coisas vão somando. Temos sequer dinheiro suficiente para pagar a conta do hotel? Já verificaste?

— Teremos, quando vender o carro.

— Mas não vendeste o carro.

— Não te preocupes, irei vendê-lo.

— Não consigo perceber porque é que ainda não o vendeste, dado que dizes estar tão ansioso para ir embora daqui.

Foi este último comentário que fez com que perdesse a confiança em mim mesmo. Fomos para baixo. A sala de jantar estava repleta com os nossos colegas hóspedes, nenhum dos quais me dei ao trabalho de conhecer e poucos dos quais consegui sequer reconhecer. Havia apenas uma mesa vazia. Confinava, num dos lados, com a porta da cozinha, e, no outro, com uma mulher de tal modo gorda que mal consegui passar por ela para me sentar na minha cadeira.

— Deus a livre de se levantar para deixar as pessoas passar — disse eu.

— Mais baixo — pediu Julia. — Ela está a falar em inglês.

A mulher estava de facto a falar em inglês — aquele inglês de sala de aula que é a língua franca do exílio.

— Eu, eu tenho um visto, eu tenho dinheiro — estava a ela dizer para um companheiro sentado de costas para nós —, e agora eles dizem que não posso partir no *Manhattan*, que o *Manhattan* é só para americanos.

— Ouviste aquilo?

— O quê?

— Eles só estão a deixar embarcar americanos no *Manhattan*.

— Eu sei. A Iris contou-me. E então?

— Mas não deve haver mais do que seiscentos ou setecentos americanos em Portugal. O navio vai partir com metade da lotação.

— Que pena. Significa que não posso dar-lhe o meu bilhete.

— A Estátua da Liberdade, ela vira-me as costas e cospe-me — disse a mulher.

Um empregado, envergando uma farda com nódoas, aproximou-se da nossa mesa, serviu-nos café de um bule prateado e foi-se embora outra vez. Dei um gole no café e cuspi-o.

— Este café é horrível. Consegue ser pior do que o dos hotéis franceses.

— A sério? Não noto nenhum problema nele.

— Então porque é que estás a pôr açúcar? Nunca pões açúcar.

— Estou autorizada a pôr açúcar se me apetecer. E tu também estás a pôr.

— Sim, mas eu ponho sempre. E porque é que ele não nos trouxe nada para comer? *Garçon*!

— Vá, descontrai-te. Não vais passar fome.

— Na Suíça já nos teriam servido por esta altura.

— Oh, por amor de Deus, se estás tão desejoso de ir à Suíça, vai.

— Só estou a dizer que, se o objetivo deste exercício é pôr o nosso dinheiro a render, o mínimo que deveremos esperar é alguma coisa que se coma. Ou isto tudo é por causa dos Frelengs?

— O que têm os Frelengs?

— É mais provável encontrá-los na Suíça do que aqui.

— *Eu* não tenho medo de os encontrar.

Bruscamente, o empregado atirou um cesto com *croissants* para cima da nossa mesa. Trinquei um.

— Estão ressecos — disse eu. — Não são sequer *croissants* a sério. Só os franceses fazem *croissants* a sério. Os italianos são suficientemente maus, e estes são... Julia?

Mas ela tinha-se ido embora. Desaparecera. Era como se um retrato tivesse fugido da sua moldura.

Fui encontrá-la no quarto, esfregando furiosamente creme nas mãos.

— O que é que aconteceu? Porque é que te vieste embora?

— Foi ela. A tia Rosalie.

— Onde?

— Na sala de jantar. Creio que não me viu. Creio que me vim embora a tempo. Vai até lá abaixo e vê se ela ainda lá está.

— Porquê?

— Porque se não fores vou ter de ficar no quarto durante todo o dia.

— Está bem. Mas, Julia... como é que a vou reconhecer?

— Ela estava sentada duas mesas a seguir a nós. Sozinha. Tinha um chapéu, uma espécie de chapéu de marinheiro.

Voltei lá abaixo. Como era de esperar, duas mesas a seguir à nossa estava sentada uma mulher com um chapéu de marinheiro. Não era a tia Rosalie. Era Georgina Kendall.

— Ei! — chamou ela, acenando com um entusiasmo náutico. — É o amigo de Eddie, não é?

— É isso.

— Sou tão má com caras que não tinha a certeza. Faça-me companhia para o café, sim? Aquela era a sua mulher? Ela saiu com bastante pressa.

— Não se estava a sentir bem.

— Demasiado absinto, aposto. — Na luz da sala de jantar, vi o quão manchada era a sua pele, como as guardas de um livro. — Bom, aposto que está a interrogar-se sobre o que estou eu aqui a fazer e vou responder-lhe. Fomos expulsas do nosso hotel no Estoril. Foi culpa de Lucy. Aquela rapariga! Bebeu demasiado champanhe e deitou uma jarra abaixo. Um daqueles jarrões chineses. Era muito provavelmente uma imitação, mas experimente convencer um gerente de hotel disso. Felizmente, o nosso motorista ficou com pena de nós e trouxe-nos para aqui. Isto não é o Aviz, mas, como disse Lucy, é só por alguns dias, até o *Manhattan* partir. Ela queria apanhar o *Clipper*, mas alguém tem de impor limites. Não sou feita de dinheiro! E vocês? Vão partir no *Manhattan*?

— Nós? Sim.

Ela inclinou-se, em jeito de confidência.

— Já sabem, evidentemente, que eles decidiram não deixar embarcar estrangeiros. Tem havido tantas queixas por causa disso, mas, se quer saber o que acho, é a única forma. Especialmente depois do que aconteceu no mês passado, quando o *Manhattan* foi para Génova. A ideia era a mesma do que aqui, recolher os americanos aí retidos, só que não se deram ao trabalho de controlar a venda dos bilhetes e os estrangeiros compraram-nos todos. Judeus. Uma amiga minha estava a bordo e escreveu-me a contar isso. O navio estava a abarrotar com eles! Estavam acampados no chão da Sala da Palmeira, do Salão Nobre, até nos correios. Havia tantos bebés que a lavandaria não conseguia dar conta de tantas fraldas. Agora, espero que acredite em mim quando lhe digo que tenho toda a simpatia do mundo por essas pessoas, toda a simpatia do mundo, mas quando chegamos ao ponto em que um cidadão americano não consegue ter a sua roupa lavada a bordo de um navio americano... Bem, o limite tem de ser imposto nalgum lado, não concorda?

— E como é que está a correr o seu livro?

— Oh, que nem um sonho! Sabe, não percebo mesmo aonde é que o Edward queria chegar naquela noite. Só me ocorre que ele está a planear um livro e está furioso por eu me ter adiantado. Ele e a Violet vão embarcar no *Manhattan*, também?

— Sim, vão.

— Isso é bom. Vamos divertir-nos à grande, nós os cinco. Os seis. A sério, tem de reconhecer — e aqui o tom de voz dela mudou, ficando grave — será uma viagem bem mais agradável, *bem mais* agradável, se for só com gente como nós.

O empregado chegou com o café — o que me deu a oportunidade de que estava à espera para apresentar as minhas desculpas e regressar ao quarto.

Julia estava junto à janela, espreitando para a rua.

— Porque demoraste tanto? Ela estava lá?

— Não, quer dizer, sim. Mas não era ela. Foi por isso que me demorei mais. Eu conhecia-a. Conheci-a quando estava com Edward.

— Quem?

— Aquela mulher. Aquela que não é a tua tia.

— Mas ela *era* a minha tia. Deves ter estado a falar com a pessoa errada.

— Julia, quantas mulheres com um chapéu de marinheiro achas que estavam naquela sala de jantar? — Toquei-lhe no ombro e ela recuou. — A sério, minha querida, não devias estar tão nervosa...

— Para com isso. Era ela. Eu vi-a.

— Tenho a certeza de que pensaste que a viste. Mas estás enganada. É, provavelmente, porque estás tão nervosa...

— Não acredites em nada do que ela te contar. Promete-me que não vais acreditar. Ela é uma mentirosa.

— Julia...

— A minha mãe acha que ela matou o tio Edgar. Foi muito conveniente que ele tivesse sido sepultado no mar. Significava que não iria haver nenhuma autópsia.

— Mas julguei que ele tinha morrido de um coma diabético.

— Só temos a palavra dela. A dela e a do médico do navio, e sabe Deus como eles não são de confiança... E pensar que ela teve mesmo o descaramento de voltar para Nova Iorque todos os invernos, de ocupar uma suíte no St. Regis (no St. Regis, entre todos os lugares!), e de dar lanches. Evidentemente, recusámos sempre os convites. Bom, eu só fui uma vez a um. Por curiosidade. E, meu Deus, que desilusão foi. Pensava que, pelo menos, ela exalaria elegância. E, pelo contrário, eis que ali estava aquela coisa desajeitada vestida com Dior. E nem conseguia aperceber-se de que estava a ser desprezada. Foi essa a ironia da história. Julgava que podia ter tudo, que podia continuar em França, voltar para casa e ser recebida de braços abertos.

— Que triste.

— E depois, quando nos mudámos para Paris, ela começou a enviar-me aquelas cartas, insistindo que eu devia ir visitá-la a Cannes, repetindo aqueles disparates todos sobre o quão parecidas nós éramos, como eu era a filha que ela nunca tinha tido. Uma vez, chegou mesmo a bater à nossa porta, tal como costumava aparecer em casa da minha mãe.

— A sério? Quando é que isso foi?

— Seis, sete anos atrás. Não quis dizer-te. Pedi à empregada para dizer que não estávamos. Mas ouvi a conversa. Rosalie não acreditou por um segundo; ela sabia que eu estava em casa. O que deve ter espicaçado a sua determinação em me ver. Para andar a mostrar-me.

— Mas, Julia, não é possível que ela não quisesse andar a mostrar-te? Que ela estivesse só à procura de, não sei, um espírito afim?

— Oh, meu Deus! — Julia afastou-se. — Obrigada por confirmares os meus piores receios. Obrigada por confirmares que o meu próprio marido pensa o que a minha família toda pensa. Que eu sou igual a ela.

— Não é isso que estou a dizer. Escuta-me. Estou a dizer que quando olhas para isto com objetividade, as circunstâncias das vossas vidas apresentam à superfície uma certa semelhança...

— E, como tal, somos iguais por dentro? Como duas gotas de água? E agora vamos chegar a Nova Iorque no mesmo navio. Quando sairmos, vai estar agarrada a mim... Oh! Não consigo aguentá-lo.

— Mas, Julia, nada disto irá acontecer. Por favor, querida, nada disto é sequer real. Aquela mulher que viste na sala de jantar não é a tua tia. A tua tia não está cá. Olha, não queres que te leve até lá abaixo e ta apresente para que possas ver por ti mesma?

— Não! Meu Deus, não... Todos estes anos pensei que estava livre, mas era uma mentira. Paris foi só um adiamento, uma suspensão da execução. Nunca serei livre.

— Julia...

Ela levantou a cabeça.

— Por favor, para de falar.

— Mas não sabes sequer o que ia dizer.

— Não preciso. O que quer que digas estará errado. Está sempre. Mesmo quando julgas que estás a dizer a coisa acertada.

Subitamente, ela ficou muito parada.

— Deita-te — disse-lhe eu. — Talvez devesses tomar um comprimido.

— Não quero um comprimido.

— Vai acalmar-te. — Fui buscar os secobarbitais à casa de banho, tirei um e dei-lho. Ela engoliu-o. Fechei as persianas e deitei-a em cima da colcha. — Descansa — disse eu, tirando-lhe os minúsculos sapatos dos pés. — Estarei de volta dentro de poucas horas.

— Aonde vais?

— Tratar de vender o carro.

Isto não era verdade. Eu ia à Suíça. Ia procurar Edward.

Quando estava a atravessar o átrio, o Senhor Costa acenou-me, chamando-me para o balcão. Ele estava com o telefone numa mão, tapando o bocal com a outra. — É para si. Madame Freleng.

— Madame Freleng?

Ele acenou afirmativamente. Agarrei no telefone.

— Pete, é você? Daqui Iris. Olhe, está sozinho? A Julia está consigo?

— Não.

— Ainda bem, porque preciso de falar consigo em particular. Antes de mais, como é que ela está?

— Como é que ela está? Como é que deveria estar?

— É por isso que estou a falar. A forma como você se comportou na noite passada... foi muito... bom, foi muito preocupante. Talvez você não consiga ver de forma tão clara o quão perto ela está do abismo. Edward está horrivelmente perturbado com isso.

— Edward?

— Esteve a pé durante toda a noite. E por isso estou a telefonar-lhe para pedir-lhe que seja, por favor, mais carinhoso com ela.

— Quero falar com Edward. Passe-me ao Edward.

— Não posso. Ele saiu. Mas foi ele que me pediu para lhe telefonar. Tenho a certeza de que não acredita nisso. Tenho a certeza de que acha que isto é alguma maquinação da minha parte, algum esquema, mas não é. Tenho genuinamente receio pela vida de Julia, Pete. Ambos temos.

Nesse instante, Georgina saiu da sala de jantar. Tinha o chapéu à banda. A meio do caminho para o elevador, deteve-se bruscamente e começou a vasculhar a carteira. Talvez estivesse à procura da sua chave.

— O que quer que Edward tenha para dizer-me, pode dizer-me ele mesmo — respondi eu a Iris, desligando o telefone, ao que o Senhor Costa, naquela maneira própria dos bisbilhoteiros, pareceu ficar de repente muito atarefado com o livro de registo de hóspedes.

— Senhor — chamou ele quando eu me dirigia para a porta de saída.

— Sim?

— Como certamente já sabe, o *Manhattan* deverá partir dentro de poucos dias.

— Sim.

— Posso depreender que o senhor e a sua esposa...

— Sim.

— Então talvez pudéssemos falar em acertar as contas, não neste preciso momento...

— Claro. Se nos tirar a conta, levo-a quando voltar.

— Obrigado, senhor.

O que quer que fosse que Georgina estava a tentar encontrar na carteira, ainda não o tinha encontrado. Passei por ela, pela porta giratória, e fui para a manhã luminosa. Uns quantos pombos manchavam o céu. Tirando isto, o céu estava de um azul irrepreensível. E pensei: *Ela tem medo de mim. Ela tem mais medo de mim do que eu tenho dela.*

23

Edward não estava na Suíça quando lá cheguei. Contudo, tinha deixado um bilhete para mim com o *maître*. Nele, propunha que, em vez de nos encontrarmos no British Bar, como costumávamos, nos encontrássemos na entrada para o castelo. Isto ficava claramente no lado oposto do British Bar, o que fez com que perguntasse a mim mesmo se ele não estaria a afastar-nos deliberadamente do sítio da Señora Inés. E porque tinha deixado ele um bilhete na Suíça, onde havia a possibilidade de não o receber, em vez de no Francfort?

Durante a maior parte daquele dia, caminhei. Mais ou menos a cada meia hora, passava pela Suíça, no caso pouco provável de que Edward lá estivesse, mas ele nunca estava. Depois, regressava ao Francfort para ver como estava Julia, mas ela ainda dormia. Em seguida, voltava a sair. Ocorreu-me que, desde a nossa chegada a Lisboa, eu não tinha provavelmente passado um minuto que fosse sozinho. Tinha sempre um ou outro para me orientar. Agora, na ausência de ambos, dei comigo a reparar em coisas em que não tinha reparado antes. Por exemplo, nos carros. Ao lado da seleção habitual de *Citroëns* e *Fiats*, com os seus motores de corta-relva a cuspirem, também havia *Studebakers*, *Chevrolets*,

Cadillacs. Na maioria eram novos ou recentes. Sem dúvida, alguns tinham sido comprados — por uma bagatela, como se diz — a refugiados como eu. E, claro, tinha dito a Julia que iria tentar vender o carro esta manhã e, evidentemente, não estava a tentar vender o carro... Enquanto caminhava, enfiei as mãos nos bolsos. Acariciei as chaves. Apalpei-as. Elas deixaram marcas vermelhas na palma das mãos, um cheiro metálico e acre nos dedos. Tinham cavado um buraco no bolso através do qual volta e meia caíam moedas de centavos. E, todavia, eu conseguia tão-pouco imaginar não as ter já ali quanto conseguia imaginar não usar um relógio, não usar uma gravata.

Veio-me uma ideia à cabeça. E se eu não vendesse o carro? E se, ao invés, eu e Edward puséssemos as nossas mulheres a bordo do *Manhattan*, as instalássemos nos seus camarotes, e fôssemos embora sorrateiramente? Então, poderíamos ir a conduzir... para qualquer lado. Eventualmente, podíamos permanecer em Portugal. Porque, de alguma forma, Portugal com Edward não era a perspetiva catastrófica e deprimente que era com Julia. Era antes uma aventura. E, se assim o desejássemos, podíamos oferecer os nossos serviços ao nosso governo, tornarmo-nos os espiões com os quais — estava seguro disso — já éramos confundidos. E embora fosse verdade que Julia iria sofrer, pelo menos durante a travessia, teria Iris ao seu lado para a consolar. Com um pouco de sorte, podia mesmo ter algum romance a bordo do navio, chegando a Nova Iorque já noiva de algum diplomata ou jornalista... de um homem melhor do que eu. Agora que já tive mais experiência do que é a infidelidade, consigo identificar aquele tipo de ilusão que, naquela tarde, eu estava a alimentar: a ilusão de que, se o cônjuge que estamos a trair também se envolve numa relação, a nossa própria traição, em troca, ficará de algum modo anulada.

Sim, é verdade, tais coisas acontecem na realidade, especialmente entre os franceses. Só que nós não éramos franceses. Nem Julia era o tipo de mulher de deixar de gostar e de encontrar outro homem, fosse para me fazer ciúmes, fosse para se satisfazer... Nada disto me impediu de passar o resto daquele longo dia a entreter-me a brincar com o meu plano; fazendo-o girar no ar e equilibrando-o na ponta do nariz; batendo as barbatanas enquanto uma assistência invisível aplaudia, e um mestre de circo invisível atirava um peixe ao ar para que eu o apanhasse com a boca, engolindo-o inteiro...

Depois algo aconteceu.

Eram cerca das duas da tarde. Estava a regressar ao Francfort para mudar de roupa antes de ir ter com Edward. Quando me aproximava do Elevador, dois rapazes passaram por mim a correr. É possível que fossem ao todo oito ou nove. Arrastavam bilhetes de lotaria como se estes fossem a cauda de um papagaio de papel. Não foi isso, porém, o que me chamou a atenção. O que me chamou a atenção foi que cada um dos rapazes tinha um só sapato calçado. Tanto quanto me pude aperceber, os sapatos pertenciam ao mesmo par. Um rapaz usava o esquerdo enquanto o outro usava o direito.

Eles foram aos tropeções pela rua, em direção à fila que se tinha formado à entrada do Elevador. Provavelmente, planeavam tentar vender os bilhetes de lotaria aos homens e mulheres que se encontravam na fila, mas, antes de conseguirem lá chegar, foram mandados parar por dois polícias. Naqueles anos, a polícia de Lisboa usava capacetes semelhantes aos dos polícias de Londres, o que lhes conferia um aspeto enganadoramente benigno. Seguiu-se uma discussão. Inicialmente, depreendi que fosse por causa dos bilhetes de lotaria. Depois vi que os polícias estavam a apontar para os pés dos rapazes. Estavam aos gritos. Próximo dali, o operador do elevador estava no seu posto habitual, fumando, presumivelmente aguardando que chegasse o minuto exato em que o seu horário lhe permitia abrir as portas. Subitamente, um dos polícias riu-se e, no mesmo instante, deu uma estalada na cara do rapaz que estava a usar o sapato esquerdo. O rapaz gritou. O polícia bateu-lhe outra vez, com mais força. O rapaz caiu de joelhos. O outro rapaz desatou a correr, mas o segundo polícia apanhou-o e agarrou-o pelo colarinho. Levantou-o no ar, como uma mãe cadela faz com o seu cachorro. O único sapato do rapaz caiu-lhe do pé. As suas pernas pareciam paus, os pés mais pequenos ainda do que os de Julia. Um instante mais tarde, o operador do elevador olhou para o seu relógio, atirou a beata para o ar e abriu o portão. Silenciosamente, os bons cidadãos em fila começaram a entrar.

Uma mulher estava ao meu lado. Tinha sensivelmente a minha idade, com um aspeto pragmático.

— Terrível, isto — disse ela, num sotaque do Midwest. — Sabe, Salazar decretou que é proibido andar descalço, parte do seu esforço para tornar o país suficientemente apresentável para a Exposição. Mas estas pessoas são pobres. Mal conseguem comprar sapatos para os filhos, quanto mais para eles mesmos, por isso, dividem um par entre cada duas pessoas. E não é que estes rapazes tenham conhecido outra realidade. Andaram descalços toda a sua vida.

— O que irá acontecer-lhes? Vão ser presos?

— Quem sabe? Seja como for, não são os rapazes que importam. São as pessoas que estão a observar. Tudo isto é para elas um lembrete daquilo que as espera se provocarem alguma espécie de problema. Lembre-se disto na próxima vez que algum pateta começar a discursar sobre o quão maravilhoso é Salazar para Portugal. Bem, tenha um bom dia.

Ela afastou-se a passos largos. O rapaz que tinha sido agredido, não se levantara. O outro baloiçava no ar como um cadáver numa forca. Devo ter chamado a atenção de um dos polícias, pois ele gritou alguma coisa para mim e fez-me sinal para atravessar a rua. Comecei imediatamente a andar em direção ao Hotel Francfort. Não olhei para trás. Se me agarrasse pelo ombro, decidi, iria alegar que não entendia a língua. Mas ele não me pôs a mão no ombro. Lancei-me através da porta giratória do Francfort, quase atirando ao chão o bagageiro.

— Desculpe — disse eu, correndo para as escadas, até me aperceber, no momento em que cheguei à porta do quarto, de que não tinha a chave.

Bati à porta. Não houve resposta.

— Julia, sou eu.

Teria ela saído? Estaria na casa de banho?

Não havia nada a fazer a não ser voltar para o átrio. Como era habitual, a Messalina estava em pé junto à porta do seu quarto, a fumar. Ela fez-me um aceno com a cabeça, e eu acenei em resposta. Durante um breve instante, ainda considerei a hipótese de lhe pedir para ir buscar a chave, mas ela estava em camisa de noite, e eu não fazia ideia se ela falaria inglês, por isso, fui eu mesmo buscá-la. Na entrada do hotel, o cenário estava tranquilo. Não havia nenhum polícia à minha espera. Não havia nenhum agente a interrogar o Senhor Costa. Trouxe a chave, voltei a subir as escadas e entrei.

Julia estava na cama. Ainda estava a dormir.

Olhei para o relógio. Pelos meus cálculos, ela estava a dormir há cinco horas.

— Julia — chamei eu. Mais uma vez, não houve nenhuma resposta. Levantei-a pelos ombros. A cabeça dela pendeu. — Julia, acorda.

Mas ela não acordou. Pus a mão no pulso. Ela não tinha pulsação. O frasco dos comprimidos estava no mesmo lugar onde eu o tinha deixado, na beira da bancada da casa de banho. Havia ainda oito comprimidos no frasco. Quantos haveria naquela manhã? Não poderia haver tão poucos assim, caso contrário eu teria reparado. Porque era meu dever como marido certificar-me de que o abastecimento de comprimidos nunca escasseava e muito menos esgotava. E, por isso, se no frasco estivessem menos de uma dúzia de comprimidos, eu teria feito uma nota mental de que teria de arranjar mais antes que o *Manhattan* zarpasse.

Voltei para o quarto. Abri as cortinas, a janela, as portadas. A luz do sol incidiu na cara de Julia, expondo as sardas desmaiadas que ela cobria normalmente com pó de arroz. Ela não abriu os olhos.

— Julia — disse eu. — Quantos comprimidos tomaste?

Ela murmurou alguma coisa ininteligível.

— Aguenta-te — disse eu. — Vou chamar um médico. Aguenta-te, por favor.

Fui a correr até ao corredor. Da soleira da sua porta, Messalina fixou-me com curiosidade.

— Um médico — disse eu, indo aos tropeções pelas escadas abaixo até à entrada do hotel. — Um médico — disse eu para o Senhor Costa.

— Desculpe?

— É a minha mulher. Não acorda. Preciso de um médico.

Atrás de mim uma voz disse:

— Sou médica. Em que é que posso ser útil?

Virei-me. Era a mesma mulher em cuja companhia tinha acabado de testemunhar o assédio aos rapazes só com um pé calçado. Estava sentada numa das poltronas, com um bule de chá e um prato com bolachas à sua frente.

— Ah, olá, é você. Chamo-me Dra. Cornelia Gray. — Ela levantou-se e sacudiu as migalhas da saia. — O que é que se passa?

— A minha mulher, penso que poderá ter tomado comprimidos a mais.

— Quais comprimidos?

— Secobarbital.

— Barbitúricos. É melhor ir vê-la. — Dirigiu-se para as escadas. — Bom, venha comigo.

Olhei para o Senhor Costa. Ele encolheu os ombros. Com a sua saia formal, os sapatos rasos e a pele clara, ela podia ter saído de uma agência de casting de Hollywood — a ingénua da província que se perde entre os nova-iorquinos ou europeus sofisticados e é inevitavelmente relegada para um papel secundário por alguma atriz mais famosa. Num filme desses, ela seria uma enfermeira. Aqui, era uma médica. Nem tinha eu qualquer razão para duvidar de que fosse médica. E por isso segui-a até cima pelas escadas, que ela galgava de dois em dois degraus.

— Com licença — disse ela, acotovelando um casal no corredor do piso. — Com licença — disse para Messalina, que saiu rapidamente do seu caminho.

Abri a porta do nosso quarto.

— Julia?

A cama estava vazia. Ouvia-se água a correr na casa de banho.

— Julia!

— O que foi? — perguntou ela, saindo da casa de banho. Estava em camisa de noite. A banheira estava a encher.

A Dra. Gray olhou para Julia. Julia olhou para a Dra. Gray. Ambas olharam para mim.

— Pete?

— Perdão. Pensei...

Sentei-me na cama.

— Pete, estás bem?

— Está ótimo — disse a Dra. Gray. — Teve só um choque. Pensou que você estava morta.

— Morta! Eu estava a dormir!

— Sim, certamente que estava — disse a Dra. Gray, pondo a mão sobre a testa de Julia. — Não tem febre. Olhe para mim. As pupilas não estão dilatadas. — Tocou no pulso de Julia. À medida que os segundos passavam, contive a respiração. Por cima do seu ombro, Julia fixava-me, confusa.

— Sessenta e dois — disse a Dra. Gray. — Baixa normal. Você não exagerou realmente nos comprimidos, pois não?

— Não — disse Julia.

— Abra a boca. Diga *aah*. A garganta está normal. — A Dra. Gray tirou o casaco. — Bem, já que aqui estou, também vou examiná-la. Posso lavar as mãos? Vou ter consigo lá abaixo.

Levei uns instantes a perceber que este último comentário era dirigido a mim.

— Em baixo?

— Depois de eu acabar aqui.

— Ah, evidentemente.

Saí. Na entrada do hotel, o Senhor Costa veio até a mim, arrastando-se.

— Está tudo bem, senhor? — perguntou, e na sua voz detetei uma nota de súplica, como se me estivesse a implorar para responder afirmativamente à sua pergunta.

— Está tudo bem. A médica está a examiná-la agora.

— Quer dizer que ela não está...

— Não. Está acordada.

A cintura do Senhor Costa expandiu-se visivelmente. Voltou para o seu balcão.

À falta de outra coisa melhor para fazer, sentei-me na cadeira em frente à da Dra. Gray. O chá estava a ficar frio. Sem pensar, tirei uma das bolachas. Só quando estava a trincar uma é que me apercebi de que estava a dar um passo em falso. Pois não tinha pago aquelas bolachas. Eram as bolachas da Dra. Gray. Contudo, tendo já trincado uma, não vi motivo para poisar a bolacha. Por isso comi-a. Comi todas as bolachas. Lambi as migalhas dos dedos. Não toquei no chá.

Vinte minutos mais tarde, ela emergiu da escadaria. Levantei-me outra vez.

— A sua mulher está bem — disse ela, agarrando-me a mão. — Está bem. O que quero dizer é que ela não tentou matar-se. *Está* desidratada. Possivelmente anémica. Se fosse você, dava-lhe já líquidos. E dizia-lhe para se manter afastada dos comprimidos.

— Obrigado — respondi eu. — Peço desculpa pelo falso alarme.

— Oh, não há qualquer problema. A verdade é que desde que aqui cheguei ando morta por praticar um pouco de medicina. Você usa umas lentes terrivelmente grossas. Miopia, certo? Astigmatismo?

— Não que eu saiba.

— Glaucoma? Cataratas? Olhe para a minha mão. Mova os olhos, não a cabeça. Quantos dedos está a ver?

— Dois.

— Muito bem. Além de ser cego, parece estar saudável. Sente-se, porque não se senta?

— Acho que devia voltar...

— Ainda não. Ela está a tomar banho. Dê-lhe algum tempo para se recompor... Presumo que estejam de regresso a casa?

Acenei que sim com a cabeça.

— Vamos partir no *Manhattan*. E você?

— Nós? Ah, nós estamos a chegar, não estamos a partir. O meu marido e eu chegámos há uma semana. No *Clipper*. Estamos com a Comissão de Serviços do Universalismo Unitário e, caso nunca tenha ouvido falar dela, não se preocupe, porque foi criada apenas há um mês. Estamos a tentar organizar alguma coisa para os refugiados que não conseguem sair de França. Para os ajudar a chegar a Lisboa, e a partir de Lisboa para os Estados Unidos. Se conseguirmos. Só que isto é um ninho de vespas burocrático. É até pior do que em Praga, onde estivemos na primavera passada. Felizmente, Don, o meu marido, consegue lidar com esse lado das coisas. Neste preciso momento está reunido com o cônsul, tentando arranjar qualquer coisa parecida com vistos. E entretanto fomos de certo modo arrastados para este projeto completamente quixotesco, mas muito digno de enviar um vagão de carga de leite em pó para Marselha. Há uma terrível escassez de leite em França. Não é como aqui, onde podemos obter tudo. Por falar nisso, gostaria de tomar chá? Ah, o chá ficou frio. Não importa, vou pedir outro.

Ela chamou o empregado. Este veio imediatamente. Dava a impressão de que ele não se teria atrevido a fazer esperar a Dra. Gray. Porque havia nela alguma coisa que exigia respeito, embora fosse inteiramente o oposto do que se poderia chamar de sofisticada, com o seu cabelo castanho composto, as suas unhas aparadas, a sua voz autoritária e tranquila.

Um bule de chá acabado de fazer foi trazido em tempo recorde.

— Uma cena horrível, aquela junto ao Elevador — disse a Dra. Gray, enquanto servia o chá. — Faz-nos lembrar de que estamos numa ditadura. Claro, não temos assim tanto essa sensação, certamente, não do modo como temos em Praga. Quer dizer, quando as bancas de jornais vendem todos os jornais do nosso país, qual o sentido de ir verificar se os jornais locais são censurados? Que, por acaso, o são. Esta atitude de não intervenção em relação a Salazar, quando na verdade ele não é melhor do que o Mussolini, deixa-me louca. A diferença é que Salazar está interessado exclusivamente em manter os seus domínios, e não em conquistar o mundo inteiro. Nós, os estrangeiros, somos uma distração para ele, um circo que veio até à cidade. Mal desapareçamos, voltará a debruçar-se sobre o negócio que tem em mãos, e que é espancar os cidadãos portugueses até os tornar submissos.

— Agora apercebo-me disso. Antes não me tinha apercebido.

— E porque haveria de se ter apercebido? Eu só o sei porque... bem, porque, penso que se possa dizer, estou dentro do negócio. E não é que seja uma coisa óbvia, como é em Praga. Ou em Berlim, Deus nos livre. Quer dizer, aqui o pior de que nos podemos queixar é do aborrecimento, de ter de passar demasiado tempo nos cafés do Rossio. Contudo, não devíamos esquecer-nos de que o Rossio era dantes o cenário para as execuções públicas mais monstruosas. Milhares a aplaudirem. Era tido como diversão durante a Inquisição. E as coisas poderão chegar outra vez a isso. Já viu aqueles rapazes a desfilar nos seus ridículos uniformes? Sabe porque é que Salazar escolheu a cor verde, não sabe? Porque o preto e o castanho já estavam tomados.

— Presumo que esteja então a planear ficar por cá?

— Não por muito tempo, espero. Mal Don consiga vencer as burocracias, o plano é ir de carro até Marselha, abrir lá o escritório central e depois manter apenas uma operação-satélite em Lisboa. Claro, neste ramo encontramos sempre obstáculos inesperados. Por exemplo, quem poderia adivinhar que seria uma tamanha atribulação conseguir obter uma carta de condução internacional?

— Você tem carro?

— Ainda não. Porquê, sabe de algum?

— Sei, na realidade. Um *Buick*. Praticamente novo.

— Então deveria falar com Don. Ele estará de volta esta noite. Oh, eu nem sequer lhe perguntei o seu nome.

— Winters. Peter Winters.

— Prazer em conhecê-lo, Peter Winters.

Apertámos as mãos. E terá aquele aperto de mãos demorado uns poucos segundos a mais do que deveria ter demorado? Não tinha a certeza. Porque, subitamente, era como se a minha mão já não me pertencesse, como se a voz que falava através da minha boca fosse a de um ventríloquo. Eu estava ali, na entrada do hotel, e ao mesmo tempo estava muito longe, na última fila de uma sala de cinema, assistindo a um filme.

— Bem, devia ir andando — disse eu, tirando a carteira de dentro do bolso. — Quanto é que lhe devo?

— Pelo quê?

— Pela visita domiciliária.

— Não me faça rir. Você proporcionou-me alguma coisa para fazer. Desde que aqui cheguei, tenho estado aborrecida de morte. Abomino a burocracia. Mal posso esperar para sair desta maldita cidade e começar a fazer outra vez alguma coisa.

— Nesse caso, só me resta agradecer-lhe. — Levantei-me. — Oh! Comi as suas bolachas todas. Pelo menos, deixe-me pagar as bolachas.

— Posso pedir mais, caso me apeteça. Então, adeus. E se precisar de alguma coisa, não hesite em chamar-me.

— Não hesitarei.

— Bata-me à porta. Quarto 111. Fácil de memorizar.

— Sim.

— A qualquer hora do dia ou da noite.

Pela segunda vez, apertámos as mãos. Fui para cima. Enquanto tinha estado a falar com a Dra. Gray, Julia tinha-se vestido.

— O que é que foi aquilo? — perguntou ela. — O que te levou a pensar que eu tinha tomado demasiados comprimidos?

— Havia só oito comprimidos no frasco.

— Sim, e quando te foste embora, havia nove.

— Mas não podia haver tão poucos. Eu teria reparado.

— Claramente, não reparaste.

— Mas porque não acordaste? Abanei-te e, mesmo assim, não acordavas.

Ela começou a escovar o cabelo.

— Eu não *queria* acordar. Para quê acordar? Este quarto deprimente, aquela mulher lá em baixo.

— Estás a falar da Dra. Gray?

— Não, não da Dra. Gray. Tu sabes de quem estou a falar.

— Da tia Rosalie.

— Então admites que é ela.

— Não. Quis dizer, a mulher que julgas ser a tia Rosalie. Cujo nome é, por falar nisso, Georgina. Georgina Kendall. Que horas são? Tenho de me despachar. Vou chegar atrasado.

— Para o quê? Aonde vais?

— Encontrar-me com Edward.

— Oh, Pete... tens mesmo de sair esta tarde? Não podias faltar?

— Não tão em cima da hora.

— Mas tenho medo de ficar sozinha.

— Não vais ficar sozinha. Iris deve estar a chegar a qualquer instante.

— Oh, meu Deus, Iris! Não consigo encarar Iris hoje. Ela faz-me sentir tão desconfortável. E não estou bem, Pete. A médica disse-o. Ela disse que estou desidratada. Anémica. E não dizem que não se deve viajar de barco quando se está doente?

— Mas não estás doente. Precisas só de beber mais água. E, de qualquer forma, haverá um médico a bordo.

— Sim, tal como havia um médico a bordo quando o tio Edgar morreu.

— Não sejas tonta.

Ela pôs-se a tirar cabelos da escova.

— Às vezes sinto que já não te conheço — disse ela. — O homem com quem me casei nunca me deixaria sozinha assim. — Subitamente, ela virou a cara para mim. — Aonde é que vais realmente quando, citação, vais ter com Edward, fim de citação?

— «Citação, fim de citação»? Mas eu vou ter com Edward.

— E é assim tão importante ires ter com Edward? De tal modo importante que abandonarias a tua mulher quando ela está a precisar de ti? Ou é ele apenas um álibi? Com quem é te vais realmente encontrar, Pete?

— Eu disse-te, com Edward.

— Estás a ter um caso, não estás? É por isso que não me tens tocado. Pelo menos até ontem.

— Julia, isto é um absurdo. Toda esta conversa. Porque haverias tu de pensar que estou a ter um caso...

— O que ainda não negaste. É aquela médica, não é? Consegui ver nos seus olhos, o modo como ela me fixava...

Respirei fundo.

— Muito bem, vou dizê-lo apenas uma vez. Não tenho estado a mentir-te. A única pessoa que vejo todas as tardes é Edward. É Edward que vi ontem, e Edward que vi antes de ontem, e Edward que vou ver hoje. Ou quem deveria ver, se conseguir chegar a tempo... Não sei de onde tiras estas ideias malucas. É de Iris?

— Não me tens em muita conta, pois não? Pensas que sou estúpida ou cega. Mas não sou. Tenho olhos.

— Não sei o que diga mais. Não acreditas que aquela mulher lá em baixo é a Georgina Kendall, não acreditas que vou encontrar-me com Edward. E dizes que *eu* é que mudei?

Ela sentou-se à frente do toucador e pousou a cabeça entre as mãos.

— Olha, esquece. Vai lá.

— Não, vou ficar.

— Mas não quero que fiques. Preciso de ficar sozinha.

— Não precisavas há cinco minutos.

— Isso foi há cinco minutos.

Tirei o casaco.

— Não me interessa. Vou ficar.

— Oh, por amor de Deus, Pete, vai-te embora! Olha, prometo que vou portar-me bem, sim? Vou fazer uma bela paciência, depois vou fazer turismo com a Iris, e depois esta noite vamos todos encontrar-nos na Suíça e será tudo como nos velhos tempos. Vamos para a borga.

— Mas não é como nos velhos tempos...

— Chiu. Não digas mais nada. É a tua oportunidade de escapar, não percebes? Por isso aonde quer que vás, quem quer que vás ver, vai... Põe o teu casaco e vai-te embora.

Durante alguns segundos, não me mexi. E como gostaria de ter uma fotografia de Julia naquele instante. Ela parecia, bem, radiante. As bochechas estavam ruborizadas. O brilho nos seus olhos era de uma intensidade que não via desde Nova Iorque, quando tinha prometido salvá-la da sua família e trazê-la para França. E aquilo que lhe tinha oferecido então estava agora a tirar-lho — e isso era nada mais nada menos do que a sua liberdade. Contudo, na derrota — e isto era a coisa mais surpreendente —, ela era ainda mais esplêndida do que fora na vitória, aquela vitória que eu lhe tinha assegurado quinze anos atrás, quando partimos do porto de Nova Iorque, presumivelmente para não mais regressarmos.

Vesti o casaco. Saí. Fechei a porta atrás de mim. Do seu poleiro, Messalina sorriu para mim com aquilo que consegui apenas classificar de compaixão. Nunca descobri quem ela era, essa mulher a quem chamávamos Messalina. Nunca descobri de onde ela vinha, ou do que estava ela à espera. E contudo, naquele instante, pareceu-me que ela me conhecia melhor do que ninguém no mundo, e que com o seu sorriso estava a dar-me alguma espécie de autorização...

No átrio do hotel, a Dra. Gray tinha abandonado a sua poltrona. Um livro jazia aberto em cima da mesa que ocupara. Embora o título estivesse impresso em letras demasiado pequenas para conseguir percebê-las, não havia qualquer engano no nome do autor: Xavier Legrand.

24

Edward estava à minha espera junto aos portões do castelo, com *Daisy* aos seus pés.

— Obrigado por vires ter comigo aqui — disse ele, agarrando-me na mão. — Andava a querer ver estes pavões. E agora já só temos uns poucos dias.

— Não só para ver os pavões — respondi eu.

Ele abriu a boca; pareceu, durante um segundo, fazer um cálculo mental; não disse nada. Entrámos para os jardins do castelo. Disseram-me que entretanto já foram restaurados. Em 1940, raízes de árvores levantavam as pedras da calçada. As muralhas estavam a desmoronar-se. Roseiras altas floresciam entre ciprestes irregulares e jacarandás. Ao longo de caminhos empoeirados e através dos pátios, os pavões passeavam lentamente, uma dúzia deles, pelo menos. Mas, à exceção de umas ocasionais listas azuis ou verdes no peito, eles eram cintilante e quase ostensivamente brancos. Tinham pequenas barretinas brancas emplumadas e arrastavam as suas penas brancas atrás de si, como se fossem caudas de noiva. Além das aves, a única coisa para admirar era a vista, que me teria impressionado mais, não tivera eu estado no topo do Elevador. O próprio castelo tinha um ar de decadência, como se séculos de chuva o tivessem lavado de qualquer resquício de presença humana.

Os pavões cativaram *Daisy*. Imóvel, com a cauda e as orelhas eretas, ela fixava-os.

— Calma, rapariga — disse Edward, ajoelhando-se e fazendo-lhe festas no pescoço. — Estranho, este súbito interesse que ela está a demonstrar pelas aves. Os *terriers* não são normalmente cães de caça.

— Parece que ela não foi a única que mudou de interesses desde que chegou a Lisboa — respondi eu.

Desta vez, obtive uma reação da parte dele — um riso, ainda que meio sentido. Sentámo-nos num banco do jardim. «Tens o diabo dentro do corpo»: era o que a minha mãe costumava dizer-me quando, em criança, eu ficava num estado de espírito parecido ao que estava naquele momento, quando nada me satisfaria tanto quanto provocá-la a dar-me uma estalada na cara. Tão-pouco compreendia porque teria eu o diabo dentro de mim, dado que o momento pelo qual tinha ansiado desde aquela manhã tinha por fim chegado — o momento em que poderia estar sozinho com Edward. Contudo, assim era. Gostava que não fosse assim, mas era. Estava zangado por ele ter insistido em que nos encontrássemos aqui, tão longe da Rua do Alecrim, e que ele tivesse deixado o recado na Suíça em vez de no Francfort, e que Julia me tivesse feito atrasar por não ter afinal engolido demasiados secobarbitais... Um dos pavões veio a andar até nós. Com a cabeça virada de lado, abriu a meio o seu leque, depois fechou-o novamente. A trela de *Daisy* retesou-se. Toda ela era tensão, atenção — enquanto a postura de Edward era lacónica, com as pernas esticadas em frente, o braço esquerdo pousado atrás do meu pescoço, mas sem o tocar.

— Estás muito silencioso hoje. Em que é que estás a pensar?

Apertei as mãos com força. Tentei subjugar o diabo.

— Em que é que estou a pensar? — perguntei eu. — Bom, vejamos. Ainda não vendi o meu carro. Os nazis estão em Paris. Ando a trair a minha mulher. O que mais? Ah, claro! Acabei de saber, não através de ti, que quando voltarem para casa, tu e Iris vão partir numa digressão para darem conferências.

Edward fechou os olhos e virou a cara para o Sol.

— Quarenta cidades, não é verdade?

— Assim mo comunicaram.

— Assim to comunicaram?

— É uma decisão ministerial. Iris é como Salazar. Ela é...

— E acatas sempre as decisões ministeriais?

— Parece-me que é o mais simples a fazer.

— Então se Iris te dissesse para nunca mais voltares a falar comigo, não voltarias nunca mais a falar comigo?

— Mas ela não o pediu. Ela nunca o pediria.

Uma vez mais, o pavão aproximou-se de nós. Uma vez mais, fez o seu movimento de *striptease*, oferecendo sedutoramente um vislumbre de alguma coisa para imediatamente recuar.

— O que é lhe dizes quando ela faz perguntas sobre mim?

— Nada. Ela nunca faz perguntas sobre ti.

— Nem sequer no princípio? Nem sequer quando vocês estavam a combinar os termos do... como chamá-lo? Do acordo? Que ficaríamos com as tardes para nós e nada mais?

— Tudo isso foi ideia dela.

— Mas nalguma altura ela deve ter insistido para que deixasses de me ver. Ela tem de ter feito isso.

— Não. Nunca.

— E se ela o tivesse feito?

— Já te disse. Ela nunca o faria.

— E se eu te pedisse?

— O quê?

— Se eu te pedisse para a deixares?

— Por favor, não me peças isso, Pete.

— Porquê? Porque terias finalmente de dar uma resposta? Terias de dizer não... ou sim?

Nesse preciso instante, o pavão abriu em flor. Não o sei descrever de outra forma. O efeito foi surpreendente, como se, das suas penas, milhares de minúsculos pássaros brancos tivessem sido libertados, milhares de minúsculos pássaros brancos se tivessem libertado para o céu. Os pombos gemeram como se estivessem a sofrer. Levantou-se uma aragem, contra a qual o leque se erguia como a vela de um navio. Apenas as pavoas permaneceram inalteráveis, como as mulheres muitas vezes ficam quando são confrontadas com o espetáculo da vaidade masculina.

E depois o espetáculo acabou. *Daisy* soltou uma série de latidos parecidos com uma buzina. As penas fecharam-se sobre si, como cartas manuseadas com mão de mestre.

Voltei-me para Edward. Ele tinha lágrimas nos olhos.

— Desculpa-me — disse ele. — Gostava de poder dizer-te aquilo que queres ouvir. Mas não posso. Eu não sou corajoso, Pete. A vida heroica, a vida da aventura, eu não fui feito para ela.

— E achas que eu fui?

— Sim. Como estás só agora a descobrir.

— Não acredito em ti.

— Tens de acreditar. Eu só estou vivo por causa de Iris.

— Então vive por minha causa.

— Não. Há objetos mais dignos.

— Não sou eu que o devia decidir?

— Durante estes anos todos, tem sido sempre a Iris a arrastar-me para fora do Hades, uma e outra vez. E ela nunca se volta para trás. E agora tu também não te voltas para trás.

Só queria que, apenas por uma vez, um de vocês se virasse para trás, que um de vocês me olhasse nos olhos e me deixasse ir. Nunca pedi isto.

— Pediste sim. Pediste. Vieste ao meu quarto, levaste-me para o Guincho...

— O que eu comecei, tu continuaste.

— Ambos continuámos.

Ele limpou os olhos.

— Tens razão. Tens razão. Desiludi-te, Pete. Mas, percebes, nunca pensei que as coisas fossem tão longe. Ou que tu alguma vez pensasses que... Quer dizer, depreendi que Julia fosse a salvaguarda. Que, enquanto existisse Julia, havia uma linha que não poderíamos atravessar. E por isso, quando Iris disse que Julia não podia descobrir, que ela não sobreviveria se descobrisse, eu alinhei, sim, para a apaziguar... mas também porque me convinha. Percebes agora? Sou um covarde. É mais uma razão para te quereres ver livre de mim.

— É isso um modo enviesado de dizeres que te queres ver livre de mim?

— Não. Gostava que fosse assim tão simples. Mas não é.

Eu não disse nada. Os pavões dispersaram-se. Algures, devia haver jovens. Ninhos. Filhotes. Como é que se chamavam? Filhotes de pavões?

— Então o que é que agora vai acontecer?

— Não faço a menor ideia. Embarcamos no navio. Atravessamos o Atlântico. Pressupondo que nenhum submarino nos vá afundar, chegamos a Nova Iorque...

— E eu e Julia vamos para Detroit, e tu e Iris partem para a vossa digressão de conferências e, talvez, depois de alguns anos, se nos encontrarmos na mesma cidade, jantemos todos juntos? Não. Não é possível.

— E isto é? Lisboa? Esta guerra? Pergunta às pessoas daqui se alguma coisa disto é possível, e elas dir-te-ão que não. Nada disto é. Contudo, é real.

— Recuso-me a aceitar isso. Temos mais possibilidades de escolha do que elas têm. Por exemplo, poderíamos ficar aqui. Outras pessoas ficam. Algumas estão mesmo a *chegar*. Aqueles voos do *Clipper* que chegam todas as semanas não chegam vazios.

— Para, Pete. Isto não é real.

— Talvez não seja. Mas é possível.

— Não para mim. E não é certamente para Julia.

— Eu não sou o seu primeiro marido, sabes. Não há motivo algum para pensar que serei o último.

— Sim, há. Desculpa-me, mas há. Se não acreditas em Iris, acredita em mim. Nós somos muito parecidos, eu e Julia. Somos como duas gotas de água.

Desatei a rir.

— O que é que tem tanta graça?

— Apenas que tivesses escolhido essa expressão. Entre todas as expressões que existem.

Durante todo esse tempo, *Daisy* tinha estado a observar os pavões. Agora ela investiu.

— *Daisy*, não! — Edward ordenou, deu um pulo e pôs-se de pé para a puxar para trás.

Quando voltou a sentar-se no banco, ficou um pouco mais afastado de mim. Desta vez, também não me pousou o braço no pescoço.

Tapei a cara com as mãos. Sentia o meu coração a bater. Em Paris, Julia e eu íamos de quando em quando a um cinema debaixo do qual passava o metro. E por vezes o metro passava por baixo. E por vezes o metro ribombava de um modo que nos distraía do filme — durante uma cena de amor ou uma cantiga — mas por vezes ribombava naquele mesmo instante em que no ecrã um comboio estava a entrar num túnel, ou um avião a despenhar-se no mar, ou estavam a disparar tiros para o ar... E agora o meu coração a bater era esse ribombar, e, no ecrã, dois homens e um cão estavam sentados num banco diante de um castelo em ruínas, enquanto pavões se pavoneavam ao sol. Nada disto tinha que ver comigo. Eu não era nenhum daqueles homens, nem era o cão, nem sequer um dos pavões. Eu era simplesmente o ribombar do trânsito pelas avenidas, ou a guerra que arrasava tudo a centenas de quilómetros dali, mas que era na verdade apenas o meu coração a bater. Eu não estava a chorar. Gostava de conseguir. Cerrei os olhos, tentei chorar. Mas consegui tão pouco chorar quanto Julia o conseguiu, no início daquela tarde, depois de me ter desiludido por não se ter matado.

Depois senti alguma coisa molhada na minha bochecha. Abri os olhos. *Daisy* tinha subido para o meu colo. Estava a lamber-me a cara.

— Oh, *Daisy*! — exclamei, fazendo-lhe festas no pescoço. — Quando tudo estiver dito e feito, tu és aquela de quem vou sentir mais falta.

— Ela é aquela de quem todos nós iremos sentir mais falta — disse Edward.

Em Toda a Parte

25

Na primavera de 1941, foram publicados dois livros passados em Lisboa: *O inspetor Voss no Hotel Francfort*, de Xavier Legrand, e *Fuga de França*, de Georgina Kendall. Apareço nos dois, embora seja pouco provável que me reconheçam. No primeiro, sou o «Senhor Hand», um vendedor americano que está de regresso a casa depois de vários anos a viver em França. No segundo, sou «Bill», o marido da sobrinha da autora «Alice», que ela não via há muitos anos.

O inspetor Voss no Hotel Francfort abre com o seguinte assaz engenhoso, penso eu, parágrafo:

«No British Bar, em Lisboa, numa tarde de junho de 1940, dois senhores, um americano e outro inglês, estão a jogar às cartas. Os seus nomes são Hand e Foote[1]. Ambos, por coincidência, eram vendedores — o primeiro de faqueiros, o último de aspiradores.»

Duas páginas mais adiante, Hand ganha a mão. Foote acusa-o de fazer batota. Segue-se uma discussão, ao fim da qual lhes é pedido para saírem do bar. Na manhã seguinte, Hand é encontrado pendurado no teto do seu quarto no

[1] Trocadilho intraduzível com «Hand» (mão) e «Foot» (pé). *(N. da T.)*

Hotel Francfort, enquanto Foote desapareceu de Lisboa, facto este que — aliado com a coincidência dos seus nomes — leva o narrador do romance, Fred Gentry, do Consulado Americano, a suspeitar de que eles são espiões. Na esperança de expor uma rede de espionagem e assim avançar na sua carreira, Gentry pede ao famoso inspetor Voss, da *sûreté* de Paris — que está em Lisboa, porque o seu nome apareceu numa lista da Gestapo de pessoas a abater — para o ajudar na investigação. Voss está relutante, mas concorda quando Gentry insinua que o destino do seu visto americano depende da sua cooperação. Os dois preparam-se então para mergulharem nas vidas de Hand e Foote — e quanto mais fundo mergulham, mais as provas os baralham. Entre outras coisas, encontram um diário escrito aparentemente em código; um exemplar gasto de *Clarissa* («o último livro que se poderia esperar que um vendedor de faqueiros estivesse a ler»); uma carta de uma *fräulein* Lipschitz, oferecendo dinheiro a Hand para casar com ela e levá-la com ele para Nova Iorque; e umas cartas de fazer paciências, uma das quais, a Rainha de Ouros, tem uma ponta dobrada. Mas nenhuma das peças encaixa. A resolução de um mistério serve apenas para abrir outro mistério. A maioria resiste determinadamente a qualquer resolução. «Quando tudo puder significar uma outra coisa» — observa Gentry, próximo do fim — «como poderemos saber se alguma coisa significa alguma coisa?»

Dou como certo que Edward tenha sido o responsável por aquela deixa. Também dou como certo que ele tenha sido o responsável pela resolução do crime, o qual, nas últimas páginas do livro, o inspetor Voss revela com um surpreendente *sang froid*. Hand e Foote não são espiões. Pelo contrário, são exatamente aquilo que aparentam ser: vendedores. Não apenas isso, o assassínio é exatamente aquilo que aparenta ser. Zangado por Hand ter feito batota às cartas, Foote estrangulou Hand — depois, tentou fazer com que a morte parecesse um suicídio. No fim, é o próprio Gentry que é apresentado como um tolo: «Tudo o que pensei ter descoberto — o livro de código, o código do livro, a carta da *fräulein*, a carta com a ponta dobrada — não era mais do que poeira sobre uma estrada seca, batida pelos meus próprios pés impacientes.» Não obstante, ele mantém a palavra e obtém um visto para o inspetor Voss que, no fim do romance, está de pé no porão do *Excambion*, observando a linha costeira portuguesa a desaparecer no horizonte e perguntando a si mesmo o que lhe reservará o futuro — a ele e à Europa...

Em vez de oferecer um sumário das «memórias» de Georgina, que não são sumariáveis, acho que vou limitar-me a transcrever um capítulo pertinente:

«Desde que abandonei Paris, tinha-me habituado a conhecer as pessoas mais improváveis nos locais mais improváveis. Tinha visto a grã-duquesa do Luxemburgo a comer uma sanduíche, sentada de pernas cruzadas num desvio dos caminhos de ferro, em Vilar Formoso, e tinha visto Elsa Schiaparelli a lavar o cabelo no WC do Sud Express. Tinha visto Julian Green a rezar numa catedral em Lisboa e tinha visto Madeleine Carroll a abastecer-se de gasolina em Espanha. Apareciam sucessivamente velhos e novos amigos — ora no consulado português, em Baiona, ora na alfândega em Fuentes d'Oñoro, ora à mesa de jogo, no Estoril. No entanto, de todos estes, aquele que mais me surpreendeu foi uma sobrinha minha de Nova Iorque com a qual não falava há muitos anos. Para proteger o pouco que ainda resta da sua reputação, irei chamar-lhe Alice.

«Ela era a filha mais nova da irmã do meu primeiro marido, uma rapariga de grande beleza, mas educada no ambiente familiar mais antiquado que se possa imaginar. Mesmo antes do seu nascimento, os pais já tinham traçado o seu futuro — que ela iria casar-se com um bom partido e dar-lhe filhos. Contudo, desde que era ainda uma criancinha, já era evidente que Alice tinha outros propósitos. Era evidente em tudo o que ela fazia: na forma como rasgava os laços do seu cabelo e se recusava a comer a sopa, na sua preferência por se juntar às brincadeiras tumultuosas com os irmãos em vez de brincar às bonecas com as irmãs, na sua postura orgulhosa e inclinação para responder às pessoas. Ainda mais preocupante do que estes traços de personalidade era, para a sua mãe, a predileção que a criança demonstrava por *mim*, por aquela jovem senhora de proveniência duvidosa com a qual o seu irmão tinha, na sua perspetiva, demonstrado uma tão grande falta de bom senso ao casar! Nem eu era indiferente a esta sobrinha que bebia cada uma das minhas palavras. Pelo contrário, vi em Alice muitas das características que eu possuía naquela idade, e estava determinada a assegurar-lhe o que nunca me tinha sido assegurado: o encorajamento de um adulto que verdadeiramente a compreendia!

«Noutro lugar, já contei a história de como vim para a Europa, aquela viagem fatal através do Atlântico para o que tinha imaginado ser uma estada de seis meses — e acabou por ser uma estadia de trinta anos. Até agora não falei do efeito que as notícias da minha partida iminente tiveram sobre a pequena Alice. Afirmar que a tinham feito mergulhar num estado de angústia teria sido dizer pouco. Desolada, veio ter comigo e implorou-me que a levasse comigo. Tão pacientemente quanto me foi possível, expliquei-lhe que isso não poderia ser, por muito que eu gostasse. E, ainda assim, não consegui acalmá-la — pelo menos, até ela ter conseguido obter de mim a promessa de que daria os passos necessários para que ela viesse visitar-me nas suas próximas férias escolares. Juntas, prometi-lhe, iríamos visitar as grandes capitais, ver as atrações da Europa. Infelizmente, não fazíamos ideia do que o destino nos reservava — primeiro, o falecimento prematuro do meu marido, e depois a guerra...

«Posso imaginar o estado de desolação para o qual a descoberta, uns meses mais tarde, de que a nossa separação teria de ser prolongada, talvez indefinidamente, lançou a minha pobre sobrinha; as muitas lágrimas de desgosto que ela deverá ter vertido, enquanto a sua mãe chorou lágrimas de alegria. Pois não resta nenhuma dúvida de que a minha cunhada, quando descobriu que a filha estaria — durante alguns anos, pelo menos — liberta da minha influência maligna, mal conseguiu conter o seu deleite. Agora, deve ter pensado, seria a *sua* vez! Finalmente, iria encaminhar a rapariga para o caminho adequado, do qual eu a tinha desviado! É evidente, o que ela não contou foi com aquilo que todas as mães, incluindo a minha, não conseguem contar: nomeadamente, a determinação resoluta da mulher em conseguir o que quer.

«Durante todos aqueles anos de guerra, Alice e eu permanecemos em contacto. Nas minhas cartas para ela, contava-lhe a minha vida ocupada em Cannes e falava-lhe sobre o trabalho que então estava a fazer decorrente da guerra. Nas suas, ela descrevia as suas esperanças infantis, o nobre francês que, nos seus sonhos, chegaria até ela a galope no seu cavalo branco, arrebatando-a, para viverem juntos para sempre no seu castelo de contos de fadas *en France*. E nestas fantasias inocentes — pouco sabiamente, como se veio a revelar — eu encorajei-a. Pois é muitas vezes nestes devaneios de menina que as ambições de mulheres corajosas — jornalistas e escritoras e artistas — ganham forma. Felizmente, eu ainda tinha contas abertas por todas as lojas de Nova Iorque e tinha assim a possibilidade de, ainda que do estrangeiro, manter Alice fornecida com *petits cadeaux*: chapéus, luvas e todos os romances *Claudine* de Colette em tradução e um pequeno conjunto encantador de cartas de Paciência dentro de uma caixa de pele de crocodilo...

«Finalmente, a guerra chegou ao fim. Na primeira oportunidade que tive, apanhei o barco até Nova Iorque, onde, para meu espanto, descobri que na minha ausência Alice se tinha tornado uma jovem de grande encanto, mas pouco senso. Pois parecia que, a instâncias da mãe, tinha tolamente casado com o "bom partido" selecionado para si. Deixem-me clarificar agora que não havia absolutamente nada de errado com este jovem — a não ser o facto de ser terrivelmente atoleimado! No mínimo, o pobre rapaz parecia deveras traumatizado por estar a braços com uma noiva tão temperamental, quando tinha esperado uma rapariga como as suas irmãs, todas criaturas deprimentemente domésticas. Contudo, ele era um cavalheiro, e desejoso de fazer o que conseguisse para conquistar o amor da sua mulher. O meu conselho a Alice foi o de tirar o melhor partido do que lhe estava destinado. Como lhe lembrei, o meu próprio primeiro marido, o seu tio — também tinha começado a vida como um homem bastante atoleimado, e olha o que eu tinha conseguido fazer dele! Sob uma tutela inteligente, até o menos promissor dos homens pode fazer uma grande carreira. Paciência e atenção era tudo o que era exigido. Mas, infelizmente, a paciência não era uma das virtudes da minha sobrinha.

«Daí para a frente, lamento anunciá-lo, as coisas só pioraram. Através de amigos de confiança vim a saber que, longe de acatar o meu conselho, Alice o tinha ignorado. Pondo de lado o marido, tinha-se envolvido com um francês de nascimento nobre mas carácter ignóbil, cuja reputação de inútil e vicioso ainda não tinha atravessado o Atlântico. Mal ouvi este relato sinistro, convoquei Alice para vir à minha suíte e avisei-a, sem quaisquer rodeios, de que ela estava a cometer um grave erro e que devia terminar imediatamente a relação sob pena de ser engolida pelo escândalo. Mas ela fez orelhas moucas. Porque estava apaixonada, declarou ela, e tinha a intenção de abandonar muito em breve o atoleimado marido, casar com o perdulário e ir com ele para Paris, para ali dar início à *grand vie* para a qual, desde a infância, ela acreditava estar destinada...

«Oh, vãs ilusões! Como gostaria de ter podido fazer alguma coisa por Alice — mas era demasiado tarde. A teimosia, quando não é suavizada pela inteligência, é uma força que, por muito persuasiva que seja a mulher, ultrapassa as suas capacidades para a suprimir. Mal tinha deixado a minha suíte, Alice apressou-se a ir para os aposentos do amante, onde se atirou a seus pés e lhe declarou um amor eterno. Quando se é um nobre francês com má reputação na sua terra, uma coisa é divertir-se com uma bonita rapariga americana, outra é ser subitamente assaltado por uma megera determinada a encurralá-lo e a levá-lo a casar-se consigo. E assim este *jeune homme* fez o que qualquer outro *jeune homme* teria feito nas mesmas circunstâncias: inventando uma capciosa emergência familiar, pulou para o primeiro barco que estava a zarpar do porto de Nova Iorque. Só quando se encontrou são e salvo em França é que escreveu à pobre coitada informando-a de que, encontrando-se já noivo de uma rapariga pertencente à burguesia endinheirada do ramo do comércio, cuja família pretendia comprar a sua entrada para a aristocracia, ele não poderia casar com ela, nem agora nem nunca. Para piorar as coisas, Alice tinha descoberto recentemente que ela estava "de esperanças". Tão-pouco o seu atoleimado marido era assim tão atoleimado que não se apercebesse de que a criança não podia ser sua. Enraivecido, exigiu o divórcio.

«E assim as vagas do escândalo abateram-se sobre a minha sobrinha — e, oh, como naquela altura senti pena da minha pobre cunhada! Porém, quando a fui visitar, para lhe oferecer a minha amizade e lhe assegurar a minha vontade de a ajudar de todas as formas ao meu alcance, longe de aceitar a minha manifesta simpatia, culpabilizou-me, *a mim*! Sim, *eu* era a responsável pelas decisões precipitadas da sua filha! Eu tinha-lhe "plantado ideias na cabeça"! Uma acusação tão injusta, vinda de uma criatura tão estúpida, não me surpreendeu nem escandalizou, pois, por essa altura, eu já estava há muito habituada ao vilipêndio que o destino inevitavelmente reserva a qualquer mulher verdadeiramente independente. Não, o que verdadeiramente me desapontou foi a descoberta de que a própria Alice se tinha aliado à mãe, juntando-se à legião de caluniadores que agora me acusavam de a ter desviado do bom caminho. O insulto é algo que consigo tolerar com equanimidade. A deslealdade fere-me até ao âmago.

«Uns dias mais tarde, mais sábia e mais triste, regressei a França. Sobre o subsequente destino de Alice vim a saber apenas em segunda mão, através de amigos fidedignos de Nova Iorque. Mal o seu estado se tinha tornado visível, foi enviada à pressa para o campo, para uma daquelas instituições onde, por um preço elevado, raparigas como Alice eram aliviadas da sua carga indesejada com o máximo de discrição. Entretanto, em Nova Iorque, uma das suas irmãs começou a andar com uma almofada enfiada debaixo da saia. Quando a criança nasceu — um rapaz —, fazê-lo passar pelo filho da sua tia revelou-se relativamente fácil, especialmente quando a própria Alice não tinha qualquer desejo de reivindicar ou até mesmo de conhecer a criança e muito menos de publicitar as suas origens. Durante alguns anos após o divórcio, ela andou à procura sem objetivo, até que por fim conheceu um jovem crédulo, ainda que bem-intencionado, um vendedor, que se apaixonou por ela e a levou para Paris, onde, até à Segunda Guerra Mundial, levou um simulacro daquela vida com a qual tinha sonhado desde a infância.

«Durante os anos que se seguiram, somente umas escassas centenas de quilómetros me separavam da minha sobrinha. Apesar disso, nunca sequer a vi nem falei com ela, embora em diversas ocasiões ela tenha tentado reavivar a intimidade que existira entre nós, enviando-me cartas às quais nunca respondi, ou, quando estava em Paris, deixando-me mensagens no meu hotel, a que não dei resposta. Isto não era tanto crueldade da minha parte como autopreservação. Por muito que pudesse desejar o melhor para Alice, não a conseguia tolerar... O meu erro, vejo-o agora, foi pensar que ela possuía as qualidades para levar a vida que eu ansiava que ela levasse — aquela excitante vida de aviadora, a corajosa advogada, a *saloniste* — quando na realidade, tal como a mãe, ela era apenas e somente medíocre. Na minha própria ansiedade de acalentar uma versão mais nova de mim mesma, tinha dado a Alice mais crédito do que ela merecia.

«E depois, em Lisboa, fui, por assim dizer, tropeçar nela. Foi precisamente no fim da minha estada por lá. Saturadas do Estoril, Lucy e eu fomos para a cidade, para o Hotel Berlino. Certa tarde, quando atravessava a entrada do hotel, reparei por acaso em duas senhoras no início da meia-idade, sentadas junto ao bar. Uma delas, reconheci imediatamente como sendo Fleur, aquela escrevinhadora de romances policiais irrelevantes com quem eu tinha travado amizade, juntamente com o seu marido e o *petit chien*, no Sud Express. A cara da outra mulher estava protegida pelas sombras. Enquanto Fleur falava, a outra fazia uma paciência. Espicaçada por aquela curiosidade que é a prerrogativa e simultaneamente a ruína do escritor, dei um passo em frente — e vi que o baralho de cartas com as quais este jogo da paciência estava a ser jogado era guardado numa caixa de pele de crocodilo. Seria possível? Sim! A mulher a lançar aquelas cartas na mesa não era outra senão Alice!

«Furtivamente, aproximei-me mais um pouco. Embora o tempo lhe tivesse sonegado grande parte da frescura, bem como o encanto que apenas a expectativa pelo futuro consegue manter vivo, não havia forma de confundir aquela cara que outrora eu tinha amado com carinho maternal. E, ao aperceber-me de que no decorrer de todos aqueles longos anos, a impaciente Alice não tinha largado aquelas cartas de fazer paciências, aquele presente que eu lhe tinha enviado tão casualmente, o meu coração parou. Num impulso, proferi o seu nome. Ela virou-se. Estendi-lhe os braços — ao que ela deixou escapar um pequeno grito, pôs-se de pé de um pulo, dando, ao levantar-se assim precipitadamente, um encontrão à mesa, e fugiu a correr pelas escadas acima. "Alice", gritei novamente — e então Fleur, também se pôs de pé. Pelo tapete, ao lado dos óculos e das beatas de cigarros, estavam espalhadas as pequenas cartas. Não houve troca de palavras entre Fleur e eu. Ao invés, como que por instinto, pusemo-nos de joelhos e começámos a apanhar as cartas. Agora, claro, pergunto a mim mesma porque teríamos optado por nos ocupar com essa tarefa insignificante em vez de irmos atrás de Alice. Seria porque ambas nos apercebemos de que as cartas poderiam ser recuperadas — mas o seu juízo não?

«Pouco depois, o marido de Alice, Bill, apareceu em cena. Eu também o tinha conhecido — com o marido de Fleur, por coincidência. Explicámos-lhe rapidamente o que tinha sucedido, ao que ele expressou a sua confusão: como poderia eu ser a tia de Alice, perguntou ele, dado o meu nome?

«Não estando inclinada, naquele momento preciso, a partilhar a história elaborada de como eu tinha acabado por adquirir o meu *nom de plume*, informei-o de que a mulher tinha ido para cima a correr e entreguei-lhe a caixa de pele de crocodilo, dentro da qual, sem pensar o que estava a fazer, eu tinha guardado as cartas... Ele pegou nela, agradeceu-me e foi-se embora apressadamente.

«Eu e Fleur conversámos durante uns instantes. Embora me tenha pressionado para lhe contar pormenores sobre a minha relação com Alice, recusei-me, contudo, a divulgar qualquer outra informação a não ser a mais superficial. (A primeira coisa que um escrevinhador aprende é que nunca deve confiar num membro da sua própria tribo!) Depois foi-se embora, parecendo irritada e perplexa. Lucy entretanto desceu.

«— Mas o que é que se passa? — perguntou-me, quando viu a minha expressão abatida.

«Limitei-me a abanar a cabeça.

«— Uma cara do passado — respondi. — Apenas mais uma cara do passado.

«Na manhã seguinte, voltei do jantar e ouvi a notícia de que uma jovem senhora, também hospedada no meu hotel, se tinha atirado do cimo do Elevador de Santa Justa. Não precisei de perguntar pelo seu nome. Já o sabia.»

26

Não sou, presumo eu, um contador de histórias muito bom. Pelo menos, seria esse o prognóstico de Georgina Kendall. Uns quantos anos atrás, enquanto folheava as revistas antigas que inevitavelmente se empilham em todas as salas de espera de um médico, a minha mulher deparou-se com um número da *Good Housekeeping*, no qual aparecia um artigo de Georgina intitulado «Dez Regras que o Aprendiz de Escritor Deve Seguir». Dotada de uma natureza complacente e sabendo que, desde que me tinha reformado da Ford, andava a pensar escrever um livro, ela arrancou a página com o artigo e deu-mo. Se reconheceu o nome da autora, ou se se apercebeu do papel que ela tinha tido na minha vida, não o disse — embora, claro, não o dizer seria mesmo dela.

Não li o artigo. Ao contrário, guardei-o na gaveta onde guardo todas as outras recordações do meu passado europeu: as poucas fotografias que tinha de Julia e as poucas cartas que Edward me tinha escrito ao longo dos anos; os meus exemplares de *Fuga de França* e os romances Legrand; o número da *Vogue* onde o nosso apartamento tinha aparecido; e depois uma miscelânea de objetos ao acaso, botões e lápis e chaves e alfinetes de gravata, cuja relevância já não conseguia recordar, e que eram de certa forma ainda mais pungentes pelo seu carácter elusivo. O livro que eu dissera à minha mulher que pretendia escrever deveria ser um relato daquelas poucas semanas que passara em Lisboa no verão de 1940. Durante praticamente um ano tinha estado a preparar-me para o escrever. Tinha blocos em branco, lápis afiados, uma máquina de escrever portátil nova. No entanto, até àquela noite, não pusera por escrito nem uma palavra. Agora percebo que foi o artigo de Georgina — não tanto o seu conteúdo quanto a sua presença talismânica — que me deu o impulso para começar. Pois, desde a noite em que a minha mulher mo havia presenteado, escrevi num ritmo constante durante seis meses até chegar ao capítulo em que descrevia a visita que fizera ao castelo com Edward. E depois não consegui avançar mais, embora não soubesse o motivo. Guardei o manuscrito na gaveta, ao lado das cartas antigas, das fotografias, dos livros e botões e por aí adiante.... durante seis meses. Mas no outro dia, levado por um impulso, abri novamente a gaveta e tirei de lá não o manuscrito mas o artigo: «Dez regras que o Aprendiz de Escritor Deve Seguir».

Georgina, tenho de te agradecer por esta obra. Foi a descoberta de que eu tinha quebrado cada uma das tuas regras que me impeliu a terminá-lo:

Ou seja:

1. Nunca pôr cenas de diálogos em cafés. Estes não oferecem suficiente matéria para as personagens.
   (Mas onde é que passámos o nosso tempo todo em Lisboa a não ser em cafés?)
2. Nunca deixem pontas soltas no enredo.
   (Mas o que dizer sobre o modo como a guerra estilhaça as histórias?)
3. Nunca apresentem uma personagem que não estejam a planear fazer aparecer novamente.
   (Nunca soube o que aconteceu aos Fischbeins.)

4. Não descurem a competição.
   (Após um breve ressurgimento de popularidade nos meados dos anos quarenta, os livros de Xavier Legrand mergulharam no esquecimento.)
5. Lembrem-se de que é mais provável que um final infeliz conduza a grandes vendas do que um final feliz.
   (A minha história teve um final feliz.)
6. Certifiquem-se de que o motivo da ação de uma personagem é suficientemente claro para que o leitor o possa explicar facilmente a um amigo.
   (Ainda não sei porque é que Julia se matou.)
7. Não abusem da credulidade.
   (A maioria dos membros da tripulação a bordo do *Manhattan* era composta por alemães, antissemitas e apoiantes do Eixo. O boletim informativo do navio podia ter sido escrito pelo próprio Ribbentrop.)
8. Nunca deixem que um narrador na primeira pessoa saia do seu limite de observação.
   (Onde é que se delimita a fronteira entre a observação e o sonho?)
9. Não se apoiem na coincidência.
   (Como era possível acreditar, Georgina? Tu eras realmente a tia Rosalie.)
10. Nunca deixem que os factos se atravessem no caminho.
    (Como os factos se atravessaram no caminho — essa é a história que estou a tentar contar.)

27

AINDA ASSIM, SUPONHO QUE É MEU DEVER relatar o que aconteceu a toda a gente.

Três semanas depois de o *Manhattan* ter aportado a Nova Iorque, *Daisy* morreu. Iris e Edward partiram para a sua digressão de conferências, mas a meio caminho — em Terre Haute, creio eu — Iris deixou-o. Ela acabou por casar-se com um joalheiro francês e lançou-se sozinha na carreira literária. Nisto, conquistou algum mérito.

Até hoje, Edward vive — sozinho, pelo que me é dado saber — na Upper West Side de Manhattan. Não tenho a menor ideia do que faz ou de como se sustenta.

O filho de Julia — uma vez mais, tanto quanto sei — ainda crê ser o sobrinho da sua falecida mãe. É advogado, com escritório na Wall Street. É casado. Tem três filhos.

A filha de Edward e Iris continua a residir na comunidade teosófica que a sua avó fundou. Ela não é imbecil. É autista. (Quando era criança, a síndrome ainda não tinha sido identificada.)

No último ano, Georgina Kendall publicou a seu quinquagésimo sétimo livro.

Salazar continua a ser o primeiro-ministro de Portugal.

Dois meses atrás, na montra de uma loja da Avenida Madison, vi a secretária em pele do nosso apartamento em Paris. O preço que pediam era de quatro mil dólares.

28

Precisamente porque terão compareceido tantos europeus em Alcântara naquele dia, quando sabiam perfeitamente que nunca lhes seria permitido embarcar naquele navio, foi algo não consegui compreender. Esperança resultante do desespero, presumo. Seja como for, aqueles dentre nós com bilhetes não tinham outra hipótese a não ser abrir caminho pela multidão que se tinha amontoado na doca — homens, mulheres e crianças agrupados entre pilhas de malas que dentro de poucas horas teriam de arrastar de volta até à estação, ou até às pensões onde estavam hospedados. Três carregadores conduziram o nosso grupo. Cada um deles levava quatro malas atadas na ponta de uma corda presa à volta do pescoço. Mais malas e arcas estavam empilhadas em carretas de madeira, que eles manuseavam com destreza surpreendente, tendo em conta quanto estavam sobrecarregados e quanta resistência tinham de enfrentar. Sem aqueles carregadores, não sei se alguma vez teríamos conseguido embarcar.

— O que é que aconteceu com Lucy? — perguntou Georgina. — Espero que aquela estúpida rapariga não se tenha esquecido das horas a que partimos.

— Tenho a certeza de que ela vai vir — disse Edward. Ele carregava *Daisy* nos braços. Através de olhos enevoados, ela olhava por cima do seu ombro, para a cidade que estava a deixar para sempre, a expressão impassível, como se nem mesmo o fedor de todos aqueles corpos apinhados uns contra os outros fosse suficiente para lhe estimular a curiosidade. E isto vindo de um cão cuja vida inteira tinha sido devotada à mais vigilante observação! Porque, no decorrer daqueles últimos dias, a senescência que ela andara a evitar durante anos parecia tê-la apanhado de surpresa, numa emboscada, de uma forma de tal modo abrupta que teria sido terrível se o medo não tivesse sido uma das muitas forças que aquela havia embotado. Até que ponto ela compreendia — ou se teria alguma vez compreendido — era um mistério. Mas penso que compreendia mais do que Edward e Iris supunham.

Mais próximo do navio, a multidão adensou-se. Pareceu-me vislumbrar a cara de Messalina. E depois desapareceu. Continuámos a empurrar, até que por fim alcançámos a barreira que a polícia tinha erguido. Cerca de trinta metros à frente, o casco do *Manhattan* avultava, negro e brilhante como a pele de uma baleia.

— A última vez que viajei no *Manhattan* foi há dois anos — disse Georgina, como se estivesse a falar para um gravador. — Não é um mau navio, embora, se querem saber a minha opinião, o tema da América Colonial esteja ali presente de uma forma bastante exagerada. Aqueles murais na sala de jantar! Assustadores. — Entregou o seu passaporte ao inspetor, que lhe acenou para que passasse. Fez-nos a todos sinal para passarmos — exceto a Iris, uma vez que o seu passaporte era britânico e o inspetor exigia provas de que ela e Edward eram casados, o que levou a uma longa discussão em que Edward acabou por sair vencedor ao perguntar ao inspetor se ele tinha o hábito de andar com a sua certidão de casamento no bolso. — O escrutínio a que a nossa amiga inglesa foi sujeita eliminou quaisquer dúvidas que eu ainda acalentasse sobre a gravidade da política do meu governo — disse Georgina para o seu gravador interno, levando-me a refletir que um dos aspetos mais benignos da sua companhia era de que ela não se importava realmente se a estávamos a ouvir ou não. Desde o suicídio de Julia, tinha-se apegado a nós com uma avidez tanto mais intrigante quanto aparentemente sincera. Todas as manhãs, ao pequeno-almoço, ali estava ela à minha mesa. Todas as noites, ao jantar, ali estava ela no restaurante. Nunca a convidávamos. Ela limitava-se a aparecer. Nem tão-pouco nos importávamos realmente com a sua presença espalhafatosa, uma vez que nos libertava da necessidade de conversar uns com os outros... Inteiramente por sua própria iniciativa, e na sua qualidade de tia de Julia, Georgina tinha-se encarregado da parte burocrática do suicídio, lidando com eficiência com a polícia e o consulado e os outros diversos órgãos governamentais através dos quais a morte da minha pobre mulher tinha de ser certificada, validada, verificada e no geral oficializada. Graças a ela, este processo, que poderia ter-se arrastado durante meses, foi resolvido em quarenta e oito horas.

Uma estranha letargia marcou os nossos últimos dias em Lisboa, como se, após semanas a nadar contra a corrente, tivéssemos subitamente sido largados numa daquelas piscinas de água salgada morna que pontuam a costa portuguesa, e para onde vão os inválidos por motivos terapêuticos. O que significava para nós esta cidade, afinal de contas? Um cais de embarque, um compasso de espera, uma escala a meio da viagem. Tudo o que aqui fizéramos fora esperar. E agora estava a chegar ao fim — e eu não queria que assim fosse. Cada manhã, acordava a desejar que estivesse mau tempo, uma tempestade — qualquer coisa que pudesse atrasar a partida do *Manhattan*. Pois, com a morte de Julia, a tensão tinha esvaziado os dias, deixando no seu rasto um mal-estar quase agradável. Já não sentia nenhum impulso para levar a mão debaixo da mesa e tocar a perna de Edward, embora, curiosamente, ele estivesse constantemente a fazê-lo, apertando o meu joelho com uma persistência incansável e desajeitada que provocava em mim apenas cansaço e indiferença. Nem tão-pouco dardejavam os olhos de Iris na sua direção quando a mão dele desaparecia debaixo da mesa. Ao invés, ela sentava-se de boca aberta, com o queixo apoiado na mão, escutando, enquanto Georgina discorria sobre tudo e mais alguma coisa, pois agora nenhum assunto era *verboten* — nem a vida anterior de Julia, nem o filho que tivera antes de me conhecer, nem mesmo o mistério do próprio suicídio, o qual, na opinião de Georgina, não era nenhum mistério.

— A minha sobrinha não conseguia aguentar a ideia de que você iria descobrir que ela tinha mentido em relação ao filho — disse ela, no tom pragmático de um detetive que acaba de encerrar um caso. — Por isso é que estava tão determinada a não regressar a Nova Iorque, porque em Nova Iorque podiam cruzar-se com alguém que deixasse escapar algum comentário.

Naquela altura, não tinha os recursos necessários para fazer outra coisa que não fosse absorver esta teoria. Desde então, porém, pensei bastante sobre isso e cheguei à conclusão de que a teoria não parece ser válida. Porque Julia conhecia-me melhor do que ninguém no mundo — e por isso ela sabia que quando eu descobrisse que ela tinha um filho, nunca iria ameaçar divorciar-me dela ou matá-la. Pelo contrário, tê-la-ia abraçado, limpado as suas lágrimas, talvez encorajado a procurar o filho, a tentar estabelecer algum tipo de relações com ele — o que, para ela, teria sido bastante pior do que qualquer ameaça. Enquanto um oceano separasse

Julia do seu filho, a culpa era suportável. Mas se ela se visse na posição de saber notícias, de ver fotografias — Deus não o permitisse, de ser-lhe apresentada — algum instinto maternal poderia despertar nela, e o remorso iria comê-la viva.

Não me recordo de, naqueles derradeiros dias, sentir alguma coisa parecida com desgosto pela morte de Julia. Não me recordo realmente de sentir nada parecido com o que quer que fosse — à exceção de autorrecriminação. Pois ela tinha-me dito, uma e outra vez, que preferia morrer a regressar a Nova Iorque — e eu nunca tinha levado a sério a sua palavra. No entanto, seria a sua palavra sequer uma explicação capaz? Não acredito que se possa realmente explicar um suicídio. Ter-se-ia Julia suicidado para me magoar ou à sua família? Para se poupar à humilhação? Para pôr um fim a uma dor insuportável? Ou estaria ela a escolher, para me servir do título de Xavier Legrand, «a nobre saída», retirando-se a si mesma de cena por minha causa, ou por causa do filho? Ainda não consigo sabê-lo. Nem eu, naqueles derradeiros dias em Lisboa, estava em condições de refletir. Havia muito a fazer. Entre outras coisas, a conta do hotel ainda tinha de ser paga. Para conseguir reunir o dinheiro, vendi algumas das joias de Julia. Não vendi o carro. Tive uma vaga ideia de o dar à Dra. Gray e ao marido. Mas, na única vez que encontrei a Dra. Gray, no átrio do Francfort, ela puxou-me abruptamente para o lado e interrogou-me sobre o meu próprio estado com uma tal intensidade de preocupação que não tive sequer a oportunidade de abordar o assunto do carro.

— Tem de cuidar de si mesmo — disse ela, agarrando as minhas mãos nas suas. — Tem-se lembrado de comer? Tente não beber, se conseguir. O alívio será apenas temporário e irá sentir-se pior depois. O mesmo com o secobarbital. Atire-o pela sanita abaixo.

— Que engraçado. Tinha-me esquecido completamente do secobarbital.

— Perdoe-me por perguntar, mas ela deixou algum bilhete? A sua mulher?

Abanei a cabeça negativamente.

— Ela nunca disse uma palavra. Quando muito, naquele último dia estava mais calada do que o habitual.

— Então não havia nada que você pudesse ter feito. Ela já tinha tomado a decisão. — A Dra. Gray apertou-me suavemente a mão. — Bem, se precisar de alguma coisa, sabe onde me encontrar. Quarto 111. A qualquer hora da noite ou do dia.

29

Mal atravessámos a barreira de corda, a temperatura desceu cinco graus. O cimento já não era tão duro sob os meus pés. Fez-me lembrar a história de Edward sobre a caminhada para Portugal vindo de Espanha, como a chuva parara no instante em que ele e Iris tinham atravessado a fronteira. E como, naquele instante, Espanha e todas as suas privações pareceram evaporar-se, também agora a multidão atrás de nós, o seu medo e frustração pareceram recuar para alguma distância impossivelmente remota. Silenciosamente, o nosso pequeno grupo desfilou pela ponte de embarque acima, no fim da qual o comissário de bordo nos aguardava com um bloco de notas. O sotaque alemão era inequívoco.

— O canil fica no convés B — disse ele para Edward enquanto verificava os nossos nomes no manifesto de passageiros.

— O quê? — perguntou Edward. — Oh, está a falar de *Daisy*? Está tudo bem, vamos já levá-la connosco para o camarote.

— Perdão, senhor, mas o regulamento do navio exige que todos os cães fiquem alojados no canil.

— Mas ela tem quinze anos de idade — esclareceu Iris. — Nunca na sua vida esteve num canil. Certamente que pode abrir uma exceção.

— Não serão abertas exceções, Madame.

— Mas isso é revoltante! Não o aceitarei! — Como se quisesse provar a sua posição, tirou *Daisy* dos braços de Edward e agarrou-a junto ao peito. — Não posso acreditar que num navio americano, um cidadão americano não possa manter o seu cão no seu próprio camarote. Quero falar com o capitão. E queria saber o seu nome, senhor.

— Poderá falar com o capitão se quiser. Mas ele irá dizer-lhe o mesmo.

— Não aceito que um alemão me diga o que devo fazer...

— Sou um cidadão americano, Madame. Ao contrário da senhora.

Georgina puxou-nos de lado.

— Estive a falar agora com aquela senhora ali, ela compreende alemão, e diz que a tripulação toda é alemã. Bem, alemã por nascimento. Afirma que ouviu mesmo agora alguns dos criados a falar, e um deles estava a dizer que, dentro de um ano, estaríamos a ver o Führer a marchar pela Quinta Avenida abaixo numa parada de boas-vindas. Conseguem acreditar?

— Não me interessa o que alguém diga — retorquiu Iris. — Não abandonei *Daisy* até agora e não é agora que vou abandoná-la. Se chegar a esse ponto, *eu irei* dormir no canil.

— Por favor — disse eu, e toquei-lhe no ombro — ao que ela me sacudiu bruscamente. — Aguarde um minuto. Deixe ver se consigo fazer alguma coisa.

Posto isto, fui-me embora e encontrei um criado que não tinha um sotaque alemão, e obtive dele as indicações para chegar ao canil. «Consegue-se apanhar mais moscas com mel do que com vinagre»: este conselho — da minha avó, entre todas as pessoas — foi-me bastante útil ao longo da minha carreira de negociante. E certamente também o foi nesta ocasião. Pois, como veio a revelar-se, o tratador do canil era um concidadão Hoosier[1], um simpático senhor de idade, com uma cara parecida com um manjar-branco, de quem consegui, em cerca de cinco minutos, obter a exceção à regra que os Frelengs nunca conseguiriam obter por si mesmos. E isto era simplesmente porque eles constituíam o tipo de pessoas que acreditam que a forma de obter o resultado pretendido é passar por cima de alguém até chegar à pessoa na posição mais elevada. E, todavia, pergunto-vos eu, sobre quantas pessoas poderemos passar por cima até chegarmos àquela a seguir à qual não há mais ninguém acima? Qualquer vendedor vos dirá que, ao ameaçar passar por cima de alguém, tudo o que se está a fazer é apenas fazer subir o preço para o seu lado. O que se perde em dignidade, compensamos nós com a comissão.

Dez minutos mais tarde estava fechado o negócio.

— Está tudo tratado — disse eu para Edward. — Podem ficar com ela no camarote.

Ele sorriu.

— E como é que conseguiste isso?

— Não interessa — respondi eu. Não estava com disposição para me vangloriar, nem me interessava muito que o meu sucesso tivesse trazido aquele brilho de admiração aos olhos de Edward e, aos de Iris, aquela expressão de ódio em bruto — como se, ao ter com ela um gesto de simpatia, eu estivesse a espetar-lhe a faca nas costas uma última vez. Afinal de contas, eu era a última pessoa no mundo com quem ela iria querer estar em dívida. A verdade, de qualquer modo, era que eu não o tinha feito por ela, muito menos por Edward. Fi-lo por *Daisy*.

Iris desviou o olhar.

— Vou para o nosso camarote — disse para Edward.

---

[1] Designação do residente do estado norte-americano do Indiana. *(N. da T.)*

— Vou lá ter dentro de minutos — respondeu ele.

Sem sequer fazer um aceno de cabeça, ela foi-se embora. Georgina tinha ido até ao corrimão, para ver de Lucy. Pela primeira vez desde aquele dia no castelo, eu e Edward ficámos a sós.

Ele aproximou-se e ficou junto a mim.

— Eu bem disse que eras corajoso.

— Corajoso? Limitei-me a subornar um velhote.

— Não queria dizer isso. Queria dizer o modo como te tens comportado nestes últimos dias.

— Não me parece que tenha tido muitas alternativas, a não ser matar-me também.

— Mas nunca farias isso. Tu é que o disseste.

— Pois disse.

— Sabes, de certa forma, julgo-me responsável pela morte de Julia.

— Porquê? Ao fim e ao cabo, acabou por não ter nada que ver contigo. Connosco.

— Compreendo isso. Mas, percebes, ela e eu éramos tão parecidos. E por isso pergunto a mim mesmo se não deveria ter percebido o quão desesperada era a sua situação. E aí poderia tê-la impedido.

— Mas Iris impediu-te, e tu ficaste ressentido com ela por isso... De qualquer modo, não teria feito diferença. Julia não gostava de ti. Disse que eras um convencido.

— Estás a ver? Ela compreendia-me de verdade.

— E ela estava morta por o fazer, se me é permitido o trocadilho. Sabes o que é que o operador do elevador nos disse? Que ela mergulhou. Primeiro a cabeça. Por isso, esse foi um conselho de Iris que ela levou a peito.

Ouviu-se uma sirene.

— Quantos minutos faltam para partirmos? — perguntou Edward.

— Não faço ideia — disse eu. — Não sei o que é que esses sinais de sirenes querem dizer.

Ele aproximou-se mais.

— Pete... Espero que... bom, que não esteja tudo terminado entre nós. Que possamos ser amigos. — Agora, ele estava tão próximo de mim que conseguia sentir a sua respiração na minha cara. — Amigos, uma palavra ambígua, eu sei... — E pensei: Durante uma semana, terei um camarote só para mim. Finalmente, teremos a oportunidade de fazer o que queríamos desde o início: passar uma noite inteira juntos — e não ter de nos levantar de manhã. Só que agora não tinha a certeza se quereria passar uma noite inteira com Edward, quanto mais dormir com ele. Porque a realidade era que eu estava farto de dormir até tarde. Estava preparado para começar a acordar cedo.

Afastei-me dele e olhei para o relógio.

— É melhor ir andando — disse eu.

— Claro... Vemo-nos ao jantar, seguramente?

— Não sei. Estou cansado. Talvez coma no meu camarote.

— Oh, não faças isso. Não na primeira noite fora.

— Veremos.

— Pete... Espero... Não, não interessa. — Contudo, no instante em que ele disse «não interessa», soube que o que ele esperava era que eu lhe perguntasse o que ele esperava. E não perguntei. Uma vez, tinha-me dito que não receava o futuro, só o passado. Enquanto o que eu próprio receava, vejo-o agora, era o presente, com o seu prolongamento infindável, hora a hora, semana a semana, ano a ano. Um cais de embarque, um compasso de espera, uma escala a meio da viagem.

Demos então um aperto de mão, e ele foi-se embora. Fiquei a olhar para as suas costas largas até desaparecerem. Nunca mais o vi.

30

O que se passou em seguida — isso, presumo, é a história que Georgina me diria para contar: como, sob impulso, pedi a um criado para me trazer as malas; como, sem sequer olhar por cima do ombro, desci pela ponte de embarque do *Manhattan*; como regressei ao Hotel Francfort, e bati à porta do quarto 111 e ofereci à Dra. Gray não só o meu carro como os meus préstimos como motorista... E depois, como, durante os dois anos que se seguiram, tendo os Grays como parceiros e Marselha como base, transportei refugiados através dos Pirenéus, no meu fiel *Buick*, a coberto da noite... até os Alemães se terem apossado da zona por ocupar e sermos forçados a fugir, uma vez mais, para Lisboa. Mas não vou contar essa história, porque ela já foi contada várias vezes e, de qualquer modo, não diz nada mais do que qualquer outra pessoa poderia ter feito. Além disso, sinto desprezo por livros em que o interesse reside todo na fama das pessoas com as quais o narrador se cruza, ou serve, ou salva. A Georgina que se encarregue dessa porcaria. Já não tenho paciência para isso.

Aquilo sobre o que quero realmente escrever é isto: o aspeto do quarto dos Grays naquela tarde, com as cortinas filtrando a luz de sol do entardecer de modo a suavizar a áspera geometria do chão. No toucador, agrupavam-se garrafas de gim e de vermute, e não frascos de unguentos e creme. Onde deveriam estar dispostas cartas para fazer paciências, estavam pousados jornais em pilhas ordenadas. Silenciosamente, Cornelia — ela agora insistia que eu a tratasse por Cornelia — fazia palavras-cruzadas.

— Porque é que não tira os sapatos e se deita? — perguntou ela, e eu disse que sim, que isso parecia uma boa ideia; e deitei-me, sobre aquela cama que ela partilhava com o marido, e adormeci mais profundamente do que tinha acontecido nas últimas semanas, acordando só às seis da tarde, quando me apercebi de que o *Manhattan* estava agora em alto-mar. Depois, olhei para cima, para Cornelia, e ela ainda estava sentada na cadeira em frente ao toucador, a fazer as suas palavras-cruzadas, e por um instante foi como se o futuro estivesse a ensombrar o presente, ou um comboio tivesse chegado ao seu destino, embora ainda não tivesse partido; e naquele momento, juro, consegui ver tudo o que iria acontecer a seguir: que no meu futuro não haveria mais infidelidade, que haveria mais um casamento destruído, embora não o meu; e lamentei que Julia, com a intuição dos traídos, tivesse visto o que estava para acontecer, mesmo antes de mim. E desejei que as suas derradeiras semanas nesta terra pudessem ter sido mais felizes.

— Como se está a sentir? — disse Cornelia.

— Melhor, obrigada. — Sentei-me, pousei os pés no chão. — Oh, esqueci-me de lhe contar. Quando apanhei o táxi para aqui, aconteceu uma coisa engraçada. Eu disse «Hotel Francfort», e o taxista levou-me para o Francfort Hotel.

— O quê? Pensei que este fosse o Francfort Hotel.

— Quer dizer que não sabe?

— Não sei o quê? — A minha mulher sempre foi alguém que gosta de estar a par de tudo. E por isso contei-lhe o que Edward me tinha contado na manhã em que o conheci, a história de como os hotéis acabaram por ficar com o mesmo nome. Mas contei-lhe como se tivesse tomado conhecimento daquilo em primeira mão, como se ele não tivesse tido nenhum papel em nada daquilo, nem mesmo a piada que ele atribuiu aos próprios refugiados, embora, na realidade, nunca a tivesse ouvido da boca de ninguém a não ser da dele: «Pensem só: eis-nos a fugir dos alemães e acabamos num hotel chamado Francfort.»

Agradecimentos e Fontes

Ao fazer a pesquisa para *Dois Hotéis em Lisboa*, socorri-me de muitas fontes e beneficiei da ajuda de muitos amigos, académicos e especialistas. Estou particularmente reconhecido a Mitchell Owens, Irene Flunser Pimentel e a Sally Broido, já falecida, pela prodigalidade da sua sabedoria e conhecimentos. Estou também reconhecido a Jill Ciment e Mark Mitchell, pelas suas pertinentes observações sobre o manuscrito.

Algumas das obras académicas que li — e com as quais muito aprendi — foram: *Fleeing Hitler: France 1940* (Oxford University Press, 2007), de Hanna Diamond; *Roots and Visions: The First Fifty Years of the Unitarian Universalist Service Committee* (UUSC, 1990), de Ghanda DiFiglia; *Lisbon: War in the Shadows of the City of Light, 1939-1945* (Public Affairs, 2011), de Neill Lochery; *Émigré New York: French Intellectuals in Wartime Manhattan, 1940-1944* (Johns Hopkins University Press, 2000), de Jeffrey Mehlman; *Consensus and Debate in Salazar's Portugal* (Penn State University Press, 2008), de Ellen W. Sapega; *The Shameful Peace: How French Artists and Intellectuals Survived the Nazi Occupation* (Yale University Press, 2008), de Frederic Spotts; *Rescue and Flight: American Relief Workers Who*

Defied the Nazis (University of Nebraska Press, 2010), de Susan Elisabeth Subak; *The Lisbon Route: Entry and Escape in Nazi Europe* (Ivan R. Dee, 2011), de Ronald Weber; e, acima de tudo, *Judeus em Portugal durante a II Guerra Mundial*, de Irene Flunser Pimentel (Esfera dos Livros, 2006).

Foram, muitas vezes, os livros acima mencionados que me conduziram às fontes primárias — memórias, diários, artigos, cartas e romances — das quais compilei muito do que sei sobre Lisboa no verão de 1940. Estas incluíram «The Nazi Offensive in Lisbon» (*The Saturday Evening Post*, 6 de março, 1943), de Jack Alexander; *For the Heathen Are Wrong* (Little, Brown, 1941), de Eugene Bagger (tal como Edward e Iris Freleng, Bagger e a sua mulher viajaram para Nova Iorque a partir de Lisboa na companhia de um velho *fox terrier* de pelo duro; o seu livro é também a fonte da história da mulher encurralada na Ponte Internacional); *Vivre sans la patrie: 1940-1945* (Plon, 1975), de Suzanne Blum (embora Blum estivesse em Lisboa na mesma altura da grã-duquesa de Windsor, com a qual a sua vida ficaria inextricável e escandalosamente ligada, elas não se chegaram a conhecer aí); *Flight into Portugal*, de Ronald Bodley (Jarrolds, 1941); «Memoirs of a 1940 Family Flight from Antwerp, Belgium» (*Portuguese Studies Review*, Volume 4, 1, 1995), de Sylvain Bromberger; *Dieu ne dort pas* (Plon, 1946), de Suzanne Chantal; *Destiny's Journey: Flight from the Nazis* (Paragon House, 1992), de Alfred Döblin; *If I Laugh* (Harrap, 1943), de Rupert Downing; *La fin d'un monde: Juin 1940* (Éditions du Seuil, 1992), de Julien Green (é a Jean-Michel Frank que Green atribui o dito espirituoso com o qual o romance termina); *Out of This Century* (Dial Press, 1946), de Peggy Guggenheim; *World War II Writings* (Library of America, 2008), de A.J. Liebling; «Lisbon — Gateway to Warring Europe» (*National Geographic*, agosto 1941), de Harvey

Klemmer; *Le cactus et l'ombrelle* (Guy Authier, 1977), de Lucie Matuzewitz; *No Passport for Paris* (Putnam, 1945), de Alice-Leone Moats; *Under the Iron Heel* (Lippincott, 1941), de Lars Moen; *European Junction* (Harrap, 1942), de Hugh Muir; *Occupied Territory* (Cresset, 1941), de Polly Peabody; *Journal d'une époque: 1926-1946* (Gallimard, 1968), de Denis de Rougemont (Rougemont é a fonte para a piada sobre os cruzeiros Four Aces que transportavam ex-europeus para o exílio); *The Hunt* (Stein and Day, 1965), de Maurice Sachs; *Wartime Writings: 1939-1944* (Harcourt, 1986), de Antoine de Saint-Exupéry; *Shocking Life* (Dent, 1954), de Elsa Schiaparelli; *A Drive to Survival: Belgium, France, Spain, Portugal 1940* (Kenneth Schoan, 1999), de Joseph Shadur; *Assignment to Catastrophe* (A.A. Wyn, 1954 e 1955), de Sir Edward Spears; «Lisbon Fiddles...» (*Vogue*, outubro 1940) e «What Comes After War», uma série de mensagens enviadas para o *Los Angeles Times* em agosto e setembro de 1940, de Tom Treanor; *The Last Days of Paris* (Hamish Hamilton, 1940), de Alexander Werth.

Estou reconhecido à Universidade da Florida, por me ter proporcionado uma licença sabática e apoio à investigação durante a escrita deste romance; a Michael Fishwick e a Anton Mueller, da Bloomsbury; a Jin Auh, Tracy Bohan, Jacqueline Ko e Andrew Wylie, da Agência Wylie; ao meu aluno Jamie Fisher por me ter dado a deixa sobre o inseto aquático a aterrar sobre um lago; a Will Palmer, pela sua excelente edição de texto; e aos funcionários da Biblioteca Central da Marinha (Lisboa), à Bibliothèque National de France, à Condé Nast Library, à Hemeroteca Municipal de Lisboa, à New York Historical Society, à New York Public Library, ao Rockefeller Archive Center e à Universidade da Florida, em particular ao extraordinário John van Hook.

Ao contrário de Pete Winter, segui ocasionalmente, nestas páginas, o conselho de Georgina Kendall e ignorei os factos que interferiam com a história. Por exemplo, não é certo que, em 1940, ainda houvesse pavões passeando-se pelos jardins do Castelo de São Jorge, em Lisboa. Por isto, e por quaisquer outras eventuais traições em relação à história, à cor local e ao senso comum, assumo inteiramente a responsabilidade e a culpa.

Índice

SÉRIE SERPENTE EMPLUMADA

Alberto Torres Blandina
Coisas Que Nunca Aconteceriam em Tóquio

Ali Smith
A Primeira Pessoa e outras histórias
Amor Livre e outras histórias
Qualquer Coisa Como O Passado é Um País Estrangeiro

Bruce Chatwin
Na Patagónia
Regresso à Patagónia
Os Gémeos de Blackhill
O Vice-Rei de Ajudá
Canto Nómada
Anatomia da Errância
O Que Faço Eu Aqui?
Utz
Debaixo do Sol

Carmen Posadas
A Fita Vermelha

Cees Nooteboom
Máscara de Neve

Christopher Isherwood
Um Homem Singular
Adeus a Berlim
Encontro à Beira-Rio
Mister Norris Muda de Comboio

Claudio Magris
E então Vai Entender
Danúbio
A História Não Acabou
Às Cegas
Alfabetos

Dana Spiotta
Destruir a Prova

Darin Strauss
Metade da Vida

Dave Eggers
O Sítio das Coisas Selvagens
Zeitoun
Conhecereis a Nossa Velocidade!
Como Estamos Famintos
Uma Obra Enternecedora de Assombroso Génio

David Byrne
Diário da Bicicleta

David Foster Wallace
A Piada Infinita
Uma Coisa supostamente Divertida Que Nunca mais Vou Fazer – Ensaios

Elmore Leonard
Cuba Libre

François Vallejo
Incêndio no Chiado

Geoff Dyer
Yoga para Pessoas Que não Estão para Fazer Yoga

Gérald Messadié
A Senhora Sócrates

Giorgio Bassani
O Jardim dos Finzi-Contini
Os Óculos de Ouro
A Garça

Irvine Welsh
Cola
Crime
Ecstasy
Lixo
Porno
Se Gostaste da Escola Vais Adorar o Trabalho

Ismail Kadaré
Um Jantar a Mais
O Acidente
Os Tambores da Chuva

J.D. Salinger
À Espera no Centeio
Franny e Zooey
Nove histórias

Javier Raverte
Deus, o Diabo e a Aventura

Jean d'Ormesson
A Criação do Mundo

Jennifer Egan
A Visita do Brutamontes
O Circo Invisível

José Manuel Fajardo
O Meu Nome É Jamaica

Juan Jose Millás
Laura e Júlio

Julian Barnes
O Papagaio de Flaubert
Nada a Temer
O Sentido do Fim
Os Níveis da Vida

Jung Chang
Cisnes Selvagens

Kingsley Amis
A Sorte de Jim
Gosto Disto Aqui
Os Velhos Diabos

Martin Amis
A Viúva Grávida
Os Papéis de Rachel
O Segundo Avião
A Informação
Dinheiro
Lionel Asbo

Miriam Toews
Irma Voth

Nelson Algren
Vidas Perdidas – A Walk in the Wild Side

Patti Smith
Apenas Miúdos

Paul Bowles
Viagens

Paul Theroux
Viagem por África
O Velho Expresso da Patagónia
Regresso à Patagónia
Mão Morta
O Grande Bazar Ferroviário
A Arte da Viagem
Comboio-Fantasma para o Oriente

Raymond Carver
O Que Sabemos do Amor (Begginers)
Catedral
Fogos

Richard Yates
Jovens Corações em Lágrimas
Perto da Felicidade
O Desfile da Primavera
Onze Tipos de Solidão

Saša Stanišić
Como o Soldado Conserta o Gramofone

Saul Bellow
Morrem Mais de Mágoa
As Aventuras de Augie March
Ravelstein
O Legado de Humboldt

Susan Sontag
O Amante do Vulcão
A Doença como Metáfora
A Sida e as Suas Metáforas
Renascer (Diário, 1)
Ao Mesmo Tempo
Ensaios sobre Fotografia

Taiye Selasie
A Beleza das Coisas Frágeis

Teju Cole
Cidade Aberta
Mas É Bonito

Thomas McGuane
Por Um Fio
Um Céu Sempre Azul

V.S. Naipaul
A Curva do Rio
Uma Casa para Mr. Biswas
A Máscara de África

W.G. Sebald
Do Natural
Austerlitz
Os Emigrantes
Os Anéis de Saturno

Wei Hui
Shanghai Baby

Wells Tower
Tudo Arrasado, Tudo Queimado

William S. Burroughs
E os Hipopótamos Cozeram nos Seus Tanques (com Jack Kerouac)
Cidades da Noite Vermelha

Xiaolu Guo
A Aldeia de Pedra

Yoko Ogawa
Hotel Íris
A Magia dos Números

Yrsa Sigurdardóttir
Cinza e Poeira
Lembro-me de Ti

Dois Hotéis em Lisboa, romance de
David Leavitt, livro da série serpente
emplumada, publicado por Quetzal
Editores, foi composto em caracteres
Sabon, originalmente criados em 1967
pelo alemão Jan Tschichold (Leipzig,
1902-Locarno, 1974), em homenagem
ao trabalho tipográfico de Jakob Sabon
(1535-1580), e inspirados nos tipos
desenhados por Claude Garamond
(Paris, 1480-1561), e foi impresso
por Bloco Gráfico, Lda., em papel
Munken Pocket Cream/70 g, durante
o mês de junho de 2014, numa tiragem
de 2500 exemplares. A vinheta deste
livro foi desenhada por Rui Rodrigues.